David Walliams

DE ERGSTE MONSTERS VAN DE WERELD

Met illustraties van

Adam Stower

Vertaald door
Rik Peters

Clavis

DAVID WALLIAMS

ADAM STOWER

Voor Alfred,
mijn favoriete monstertje.
Ik hou van je.
~ Papa x

Voor Zoë,
met liefde.
~ Adam x

KINDER JURY
2025
HET BESTE BOEK GEKOZEN DOOR KINDEREN

David Walliams
De ergste monsters van de wereld
Tekst © 2023 David Walliams
Illustraties © 2023 Adam Stower
Belettering auteursnaam © 2010 Quentin Blake
© 2024 voor het Nederlandse taalgebied:
Clavis Uitgeverij, Hasselt – Amsterdam – New York
Omslagillustratie: Tony Ross
Vertaald uit het Engels door Rik Peters
met toestemming van HarperCollins*Publishers* Ltd.

Oorspronkelijk uitgegeven in het Engels in het Verenigd Koninkrijk
door HarperCollins *Children's Books*, een afdeling van
HarperCollins*Publishers* Ltd., met als titel: *The World's Worst Monsters*

Trefw.: monsters, humor
NUR 282-283
ISBN 978 90 448 5354 4
D/2024/4124/011
Gedrukt in Maleisië

DANKJEWELS

Ik wil graag deze onbevreesde mensen bedanken voor hun hulp bij dit boek, al waren ze vroeger niet ALLEMAAL zo dapper ...

Adam Stower, *mijn illustrator*, was bang voor het monster van Frankenstein. Hij keek stiekem een film toen hij bij zijn opa logeerde en durfde de rest van de nacht niet meer in z'n eentje naar het toilet te gaan!

Cally Poplak, *verantwoordelijke uitgever*, was dol op het monster van Loch Ness. Als kind bracht ze veel vakanties door aan de westkust van Schotland ... en altijd hoopte ze dat Nessie zou opduiken.

Charlie Redmayne, CEO *van HarperCollins*, vreesde de kabouterfamilie die in de tuin van zijn grootouders zou leven ...

Paul Stevens, *mijn literair agent*, was vooral bang voor mummies. Hij maakte zich grote zorgen dat zijn mammie er een zou worden!

Nick Lake, *mijn redacteur*, kreeg de kriebels van het moerasmonster dat hem toesprak vanonder een brug in een nationaal park.
(Het was eigenlijk gewoon zijn papa, maar daar kwam hij pas beschamend laat achter.)

Val Brathwaite, *creative director*, was bang voor het donker. Ze sliep tot haar vijfentwintigste met een nachtlampje aan!

Sally Griffin, *vormgever*, kreeg het doodsbenauwd van spoken, omdat haar plagerige mama en haar ondeugende oom vaak wedstrijdjes spookverhalen-vertellen deden!

Megan Reid, *fictieredacteur*, is al haar hele leven bang voor spinnen. Voor *alle* spinnen ... maar vooral voor gigantische, harige, monsterachtig grote spinnen.

Matthew Kelly, *artdirector*, had nachtmerries over het wezen dat zich onder je bed verstopt als je het licht uitdoet en dat je enkels probeert te grijpen als je opstaat. De enige manier om het te slim af te zijn, is door uit je bed te springen en meteen weg te rennen. Succes daarmee!

Geraldine Stroud, *pr-verantwoordelijke*, schrok vroeger altijd van hoe enorm de verschrikkelijke sneeuwman was. Nu heeft ze een vreemde angst voor grote open ruimtes ...

Tanya Hougham, *audioredacteur*, jammerde heel wat af uit angst dat haar ontbijtgranen haar in een honingmonster zouden veranderen.

Alex Cowan, *hoofd marketing*, was bang voor de Daleks. Hij verstopte zich achter de bank en luisterde hoe de logge en knetterende wezens heel hard 'UITROEIEN!' riepen.

David Walliams

WELKOM IN DE WERELD VAN DE
MONSTERS

SPOOK

Een spook is de geest van een dode. Hij vindt niets leuker dan de levenden laten schrikken.

VAMPIER

Een vampier zie je alleen 's nachts, kan vliegen en heeft scherpe hoektanden. Net als een vleermuis.

GORGO

Dit monster heeft slangen als haar! Als je het wezen aankijkt, verander je in steen.

ZOMBIE

Een zombie is een dood lichaam dat tot leven is gekomen. Wie gebeten wordt, verandert zelf ook in een zombie.

WEERWOLF
Bij elke vollemaan verandert een weerwolf van een mens in een wolf.

HET MONSTER VAN FRANKENSTEIN
Dokter Frankenstein maakte dit monster met lichaamsdelen die hij van het kerkhof stal.

MUMMIE
Een eeuwenoude farao die tot leven komt als iemand de rust in zijn of haar tombe verstoort.

VERSCHRIKKELIJKE SNEEUWMAN
Dit aapachtige wezen zwerft rond op de besneeuwde toppen van de Himalaya.

HET WEZEN UIT HET WATER
Half mens en half vis. Maar helemaal MONSTER!

HET MONSTER VAN LOCH NESS
Het monsterlijkste monster dat ooit monsterde. Dit draakachtige beest wordt soms gezien in Schotland.

MAAR NU IS HET TIJD VOOR **DE ERGSTE MONSTERS VAN DE WERELD ...**

INHOUD

VLEER-MUISBABY

VLEERMUISBABY

IN EEN LAND HIER VER VANDAAN, waar het voor eeuwig en altijd leek te vriezen, stond een berg met een top vol sneeuw. Op het puntje van die berg prikte een gotisch kasteel door de wolken. Het zag er sprookjesachtig uit, maar dit verhaal is geen sprookje.

Nee. Dit verhaal is een **GRIEZELVERHAAL**.

In het kasteel woonde een meisje met vuurrood haar. Ze heette Amber. En Amber hoorde niet thuis op deze donkere plek. Het meisje hield veel te veel van *lachen* en zingen en huppelen. Helaas had ze niemand om mee te spelen. Tot ze op een *stormachtige* nacht een broertje kreeg.

Amber kon haar geluk niet op. Ze vond het heerlijk om haar broertje te bezoeken in de kinderkamer. Op haar tenen sloop ze naar hem toe, gewoon om te luisteren hoe hij snurkte.

Een beetje vreemd was wel dat hij de hele dag sliep en de hele nacht wakker was. Bijna even vreemd was zijn naam.

Alucard.

Heb jij een broertje of zusje dat Alucard heet?

Zo ja, dan ... eh ... *proficiat?*

Op een dag, terwijl Alucard vredig lag te snurken, wilde Amber zachtjes door zijn haren aaien.

'*ZZZ! ZZZZ! ZZZZZ!*'

De baby opende zijn rode ogen en siste.

'SSSS!'

Waarschijnlijk was zijn gebitje net doorgekomen, want Alucard lachte opeens twee vlijmscherpe **hoektanden** bloot.

'Aaah!' gilde Amber.

Het meisje schrok, rende de kinderkamer uit en knalde de deur achter zich dicht.

KNAL!

Is mijn broertje soms een ... monster? vroeg ze zich af.

Maar voordat ze haar eigen vraag kon beantwoorden, hoorde ze beneden een gil.

'ETEN!'

Het was moeder.

Ambers hart klopte nog in haar keel toen ze de grote stenen trap af huppelde. Ze kwam binnen in de belachelijk

lange eetkamer en vroeg: 'Wat eten we vanavond? Laat me raden ... jullie hebben vast weer rodebietensoep!'

'NATUURLIJK!' lachten moeder en vader.

Het was een **opvallend** duo, met hun bleke huid en hun rode ogen en hun haar zo **zwart** als de nacht. Bovendien was het stel altijd uitgedost in zwart fluweel en bloedrode zijde. Vader was vooral verzot op zijn lange cape, waarmee hij door het kasteel **dartelde** als een goochelaar tijdens een tovertruc.

'Jullie eten altijd rodebietensoep. Als ontbijt, als lunch en als avondeten!' zei Amber. 'Worden jullie dat nooit beu?'

'WELNEE! We zijn er dol op,' antwoordde moeder. 'Maar voor jou hebben we puree met worstjes.'

'Jammie!' riep Amber uit. Ze zat aan de andere kant van de belachelijk lange houten tafel. Het meisje prikte in haar eerste worstje en sprak toen haar ouders aan.

'Ik was net even bij Alucard in de kinderkamer.'

De grote mensen keken elkaar aan.

'O ja?' vroeg vader.

'Ja, en er gebeurde iets heel vreemds.'

'Laat je puree niet koud worden,' zei moeder. Daarna slurpte ze van haar rodebietensoep.

'Ik wilde hem een aai over de bol geven en …'

'Heeft iemand nog een leuk boek gelezen?' veranderde vader van onderwerp.

'Vader!' snauwde Amber. 'Luister nou!'

'We luisteren altijd, liefje,' zei moeder. 'Maar je moet nu even je puree opeten.'

'Nee. Ik moet jullie nu even iets vertellen! Alucard heeft al *hoektanden! Scherpe!*'

De grote mensen keken elkaar opnieuw aan en begonnen toen overdreven te lachen.

'HAHAHA!'

'Misschien is het tijd dat jij naar bed gaat,' zei vader. 'Je zult wel moe zijn, want zo te horen ben je al flink aan het dromen!'

'Nee!' zei Amber boos. 'Ik ben niet aan het dromen. Maar soms lijkt onze familie wel een nachtmerrie!'

'Wat bedoel je daar nu weer mee?' vroeg vader.

'Onze familie is raar!'

'Raar? *Raar?*' sputterde moeder. Er verschenen tranen in haar ogen.

'Waarom zijn al jullie kleren zwart of rood? Waarom gaan jullie overdag nooit naar buiten? Waarom eten jullie altijd rodebietensoep? En *is* het eigenlijk wel echt rodebietensoep? Laat me eens proeven!'

Amber sprong op van haar stoel en huppelde naar de andere kant van de tafel. Mama probeerde nog snel de laatste druppels op te slurpen, maar Amber had al een vinger in de soep gedipt.

PLONS!

'HOE DURF JE?' bulderde vader. 'JE GAAT NU NAAR BED!' Hij stond op van zijn stoel en wees naar boven, als een dirigent van eeuwen geleden.

Amber schrok. Ze had vader nog

nooit zo boos gezien. Het meisje liep zwijgend de eetkamer uit en knalde de deur achter zich dicht.

KNAL!

Maar in plaats van de grote stenen trap op te st^amp^en, bleef Amber bij de deur hangen. Ze hield een oor tegen het sleutelgat.

'Lieverd, ooit moeten we haar de waarheid vertellen,' zei moeder.

'NOOIT!' antwoordde vader.

Daarna hoorde Amber hoe iemand naar de deur liep, en ze *vloog* snel de trap op.

Op haar kamer keek het meisje naar haar wijsvinger. Die was nog altijd rood van de soep. Ze snuffelde eraan. Het rook helemaal niet naar rodebietensoep. Amber bibberde, maar ze bracht haar hand naar haar lippen en proefde.

Het smaakte ook helemaal niet naar rode biet.

Het smaakte naar roest.

Amber poetste snel haar tanden om de smaak weg te spoelen. Daarna trok ze haar pyjama aan en sprong ze in bed. Tot slot trok ze de dekens over haar hoofd.

Maar slapen was onmogelijk. Haar hoofd leek wel te ontploffen. Miljoenen vragen schoten razendsnel door haar brein.

Waarom zijn thuis de gordijnen altijd dicht, zodat er geen straaltje zonlicht naar binnen valt?

Wat zit er echt in die 'rodebietensoep'?

Hoe komt mijn broertje opeens aan hoektanden?

Waarom mag ik nooit op de slaapkamer van mijn ouders komen?

Waarom heeft hij zo'n rare naam?

Amber besloot op onderzoek uit te gaan. Ze gleed uit haar bed en sloop haar kamer uit.

Ze wilde eerst bij Alucard gaan koekeloeren. Maar toen ze in de kinderkamer naar zijn bedje keek, bleek hij

nergens te bekennen!

'Baby's kunnen toch niet zomaar verdwijnen?' mompelde het meisje. 'Hier is iets heel vreemds aan de hand.'

Amber was vastbesloten haar broertje te vinden. De eerstvolgende halte was de slaapkamer van haar ouders. Maar een haperende deurknop bevestigde haar vermoeden: de deur zat op slot. De slaapkamer was namelijk verboden terrein.

Uiteindelijk liep ze maar de zwierige trap af. Beneden gluurde ze rond in een paar lege kamers. Toen hoorde ze opeens een geluid vanuit de balzaal. Ze spiekte door het sleutelgat ... en ze zag iets ongelofelijks.

Haar broertje vloog kriskras door de kamer! Hij leek wel een uilenjong dat voor het eerst uit het nest mocht. De baby botste overal tegenaan ...

de kroonluchter ...

KLINGEL!

de grote klok ...

DONG!

een schilderij ...

KLAP!

het ridderharnas ...

RINKEL!

de open haard ...

bots!

de buffetkast ...

DrEUN!

en de muur.

BOEF!

Daarna gleed het kleine hummeltje langs de wand naar beneden, tot hij met een plof op de grond belandde.

PLOF!

'NEE! NEE! NEE!' bulderde vader. 'Jongen toch. Je moet echt beter om je heen kijken!'

'Och, wees niet zo streng,' zei moeder. Ze nam de baby in haar armen.

'Ik doe het wel even voor, Alucard!' zei vader. En meteen kwamen zijn **voeten** van de grond. Zonder zelfs maar met zijn armen te wapperen, vloog hij door de kamer. Vader was een elegante man, en zijn vliegkunsten waren sierlijk en

soepel.

Hij SJEESDE naar het plafond,

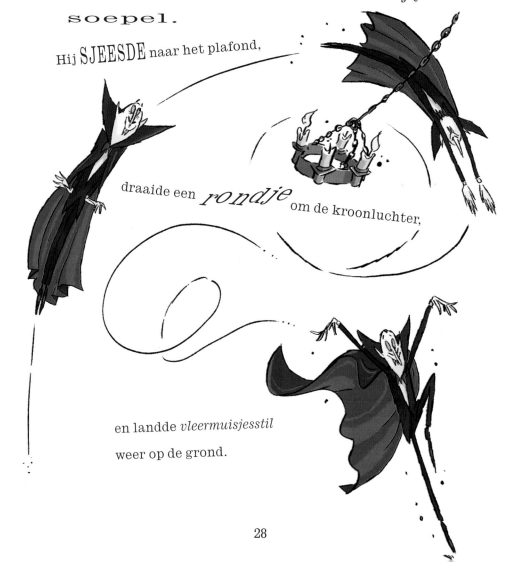

draaide een *rondje* om de kroonluchter,

en landde *vleermuisjesstil*
weer op de grond.

'Pak onze hand, Alucard,' zei moeder.

'Dit is jouw lotsbestemming!' riep vader.

De baby stak zijn handen uit. Zijn ouders grepen die stevig vast. En toen steeg het drietal op.

Moeder kon ook fantastisch vliegen!

Ze gleden tot boven in de kamer.

Vader schoof het bloedrode gordijn opzij en opende het raam.

'Alucard!' verkondigde hij. 'Ooit is dit allemaal van jou! Voor eeuwig. Kom, dan laten we jou ons rijk der duisternis zien!'

Het drietal vloog door het raam naar buiten, richting de pikzwarte hemel.

Amber opende de deur en stoof de kamer binnen. Ze staarde uit het raam en zag drie zwarte puntjes verdwijnen in de wolken.

'Zie je wel?' riep ze uit. 'Mijn familie is raar.'

Diep vanbinnen wilde ze hen achternagaan. Ze wiebelde wat op haar voeten, in de hoop dat zij ook opeens kon vliegen. Maar helaas. Amber steeg niet op. Zelfs niet toen ze met haar armen flapperde. 'Wat oneerlijk!' zei het meisje. Ze stampte met haar voet op de grond. Maar nu ze alleen thuis was, kon ze natuurlijk wel alle geheimen over haar rare familie ontdekken.

Ze holde de trap op, naar de slaapkamer van haar ouders. Ze beukte met haar schouder tegen de deur, vastbesloten om in te breken.

BEUK!

Ze probeerde weer.

BEUK!

En nog een keer, nu harder.

BEUK!

De deur bewoog geen centimeter. Maar er viel wel iets van het kozijn. Het landde op de vloer met een plokgeluidje.

PLOK!

Amber bukte zich en deed de ontdekking van de eeuw.

Een sleutel!

En niet zomaar een sleutel, natuurlijk. De sleutel-van-de-deur-van-de-slaapkamer-van-haar-ouders!

KLIK!

Ze draaide aan de deurknop en de deur schoof krakend open.

KRAAK!

De kamer was donker. Amber voelde meteen een **koude RILLING** over haar rug lopen. Ze stapte de duisternis binnen en zag iets wat haar hele lijf deed beven.

In het midden van de kamer stond geen bed, maar een stel **doodskisten!** Vader en moeder sliepen in **doodskisten!**

Dat kon maar één ding betekenen ...

Het waren VAMPIEREN!

Dat verklaarde meteen waarom ze konden vliegen!

En die rodebietensoep *was* helemaal geen rodebieten-soep. Die rodebietensoep was bloed! Haar broertje was ook een vampier. Maar waarom was Amber dat dan niet?

De naam Alucard had ze altijd al vreemd gevonden. Op een plank ontdekte ze een in leer gebonden boek en op het bureau vond ze een ouderwetse ganzenveer. Ze krabbelde de naam van haar broertje op een lege pagina en begon toen met de letters te spelen.

Opeens zag ze het. Het voelde als een klap in haar gezicht.

Alucard achterstevoren is ...

DRACULA!

Haar ouders hadden hun baby vernoemd naar de **PRINS DER DUISTERNIS.**

Dracula was de beroemdste vampier aller tijden!

'Ik moet hier weg! En snel!' zei Amber.

Ze zag een glimp van zichzelf in de spiegel. Verder niets.

Maar ze voelde dat er iets of iemand achter haar stond.

Ze draaide zich om en zag haar familie.

'AAAH!' gilde ze.

'Wat spook jij hier uit?'
gromde vader.

'Je mag hier niet
zijn!' zei moeder.

'Baba, gaga!'
ratelde de
baby.

Amber
keek opnieuw
naar de spiegel.

Haar familie was
nergens te bekennen.

Heel even dacht ze dat ze gek werd. Ze keek een
derde keer.

En ze zag opnieuw dat haar familie geen weerspiegeling
had!

Dit was het zoveelste teken dat ze EEN MONSTER-FAMILIE had! Alsof ze nog niet genoeg bewijs had ...

'Jullie zijn allemaal VAMPIEREN!' riep ze uit.

'Je hebt het eindelijk ontdekt,' antwoordde vader.

'Waarom hebben jullie me dat nooit verteld?'

'We wilden niet dat je bang zou worden,' zei moeder.

'BANG? Dat is nog niets. Ik ben *doodsbang!* Maar ik heb ook een vraag ...'

'Zeg het maar, lieverd,' antwoordde vader.

'Waarom ben ik dan geen vampier?'

Vader en moeder keken elkaar aan.

'Omdat je niet echt ons kind bent,' zei moeder zachtjes.

'Dus jullie zijn niet mijn ouders?'

'Nee,' antwoordde ze.

'Ik wist het!'

'Je was nog maar een baby toen we je vonden. Hoogstens een dag oud. Je dobberde over de rivier in een oude mand.'

'Hebben mijn ouders me in de steek gelaten?'

'Ja ...' antwoordde moeder.

'Waar zijn mijn ouders dan?'

Vader en moeder keken elkaar nog maar eens aan.

'Ik wil het weten!' eiste Amber.

'We denken dat je ouders aan de rand van de rivier wonen,' zei vader.

'Dan wil ik naar hen toe. Nu!' eiste Amber.

'Lieverd ...' antwoordde moeder. 'Dat lijkt me geen goed idee.'

'Ik zei: NU!'

'We zijn altijd bang geweest voor deze dag,' zei moeder.

'Kom dan maar mee,' zei vader. Hij nam Ambers hand. Ze liepen naar het slaapkamerraam. Hij schoof het open.

'We brengen je naar huis, maar wel als een familie,' zei moeder. Ze nam baby Alucard in haar armen.

'Dank jullie wel,' zei Amber.

Amber werd opgetild en al snel *zoefden* ze allemaal door de lucht. Het was spannend om zo dicht bij de sterren te zijn. Stiekem wilde Amber dat ze zelf ook vampierkrachten had. Ze *zwiepten* over de bergen en hun toppen vol sneeuw, tot ze diep in het dal een kleine hut aan een rivier ontdekten.

De familie landde vlak bij de voordeur. Amber vond het moeilijk om de vampierhanden los te laten.

'Dat was *magisch*,' zei ze zacht. 'Bedankt dat jullie altijd voor mij hebben gezorgd. En bedankt dat jullie me heelhuids naar huis wilden brengen.'

'Geen dank,' zei vader.

Moeder was sprakeloos. Ze gaf het meisje een stevige knuffel. Tranen prikten in haar ogen. 'Ik ga je missen,' sputterde ze.

'Ik ga jou ook missen,' antwoordde Amber.

'Jullie allemaal.'

Daarna trok ze vader en Alucard ook de omhelzing in.

Het geknuffel leek uren te duren, want niemand wilde loslaten.

Maar uiteindelijk trok Amber zich terug. 'Het is tijd om afscheid te nemen,' zei ze.

'Je hebt gelijk,' antwoordde moeder.

'Vaarwel,' zei vader, nu ook met tranen in zijn ogen.

'BABA, GAGA!' besloot de baby.

Amber stapte naar de hut en klopte op de deur.

KLOP! KLOP! KLOP!

Ze keek over haar schouders, maar de vampieren waren alweer **verdwenen.** Het meisje zag alleen nog hun voetafdrukken in de sneeuw.

De oude houten deur schoof krakend open. Amber begon nerveus te lachen.

'**Hallo!**' tjilpte ze. 'Ik ben jullie geliefde-maar-verloren dochter Amber!'

De deur schoof verder open en enkele figuren stapten uit het duister naar buiten.

Het was een familie van ...

... OGERS!

'AAH!' gilde Amber.

'Kijk nou! Dat is vast die baby die we in de steek hebben gelaten!' gromde een van de ogers.

'Vuurhaar!' zei een andere.

'Ze hoort hier niet!' zei een kleine.

'Wie wil een stukje?' vroeg nog een andere.

Amber draaide zich om en probeerde weg te rennen.

Achter haar rug klonk het gestamp van enorme oger-poten.

Amber rende, maar de sneeuw was dieper dan ze dacht. Ze struikelde en viel halsoverkop in de witte kou.

'HELP!' gilde ze.

Precies op het moment dat twee

gigantische klauwen

haar probeerden te grijpen, voelde Amber hoe ze uit de sneeuw

werd opgetild.

Het waren moeder en vader! En haar broertje.

'Je bent veilig!' zei vader.

'Wij zorgen voor jou!' riep moeder.

'Ik wil nooit meer bij jullie weg!' huilde Amber.

'Dat hoeft ook niet!' antwoordde moeder.

'BABA, GAGA!' besloot Alucard.

De familie *zoefde* door de zwarte lucht,

gelukkig weer herenigd,

en ging toen *samen* terug naar huis.

Het SPOOK van Nachtmerrieland

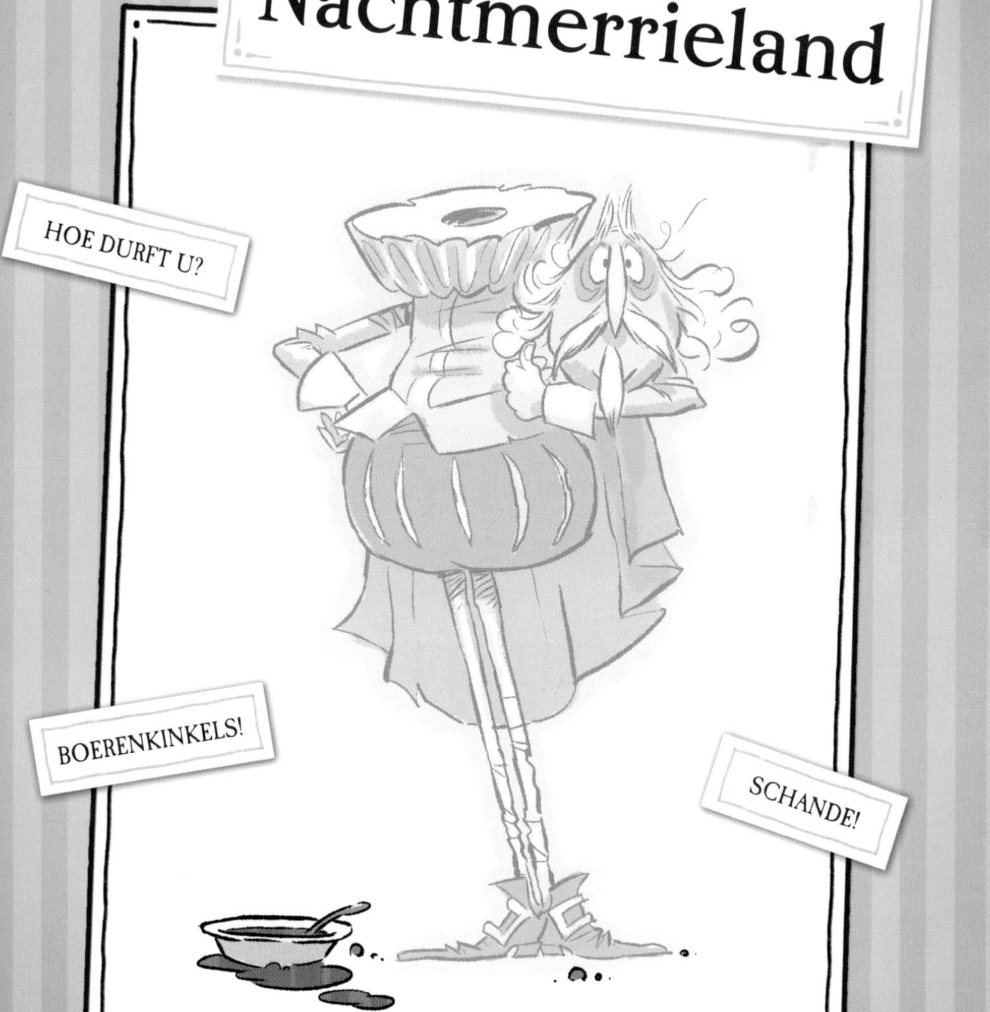

Het SPOOK
van
Nachtmerrieland

KEN JE DAT? Je slaapt vijfhonderd jaar, wordt wakker, en ontdekt dan dat je bent veranderd in een spook en dat je huis is omgebouwd tot een pretpark?

Niet?

Dat dacht ik al.

Toch is dat precies wat Hertog Fantoom overkwam. De edelman overleed vijfhonderd jaar geleden, toen zijn hoofd werd afgehakt met een bijl. Niet heel bijzonder, want de meeste mensen overlijden wanneer hun hoofd wordt afgehakt met een bijl. Hertog Fantoom had de koning beledigd, door hem tijdens een feestmaal een koude tomatensoep te serveren. En de koning deed wat elke koning zou doen: hij liet hem onthoofden. 'Maar de soep hoort koud te zijn, Uwe Majesteit! Het is *gazpacho!*' schreeuwde de edelman, vlak voordat de beul zijn bijl liet zwiepen.

HAK! BONK!

De edelman en zijn hoofd werden samen begraven in een naamloos graf ergens in het bos. De koude soep was immers een schande voor hemzelf, voor zijn familie en eigenlijk voor het hele land. Zijn grote woning, Landhuis Fantoom, kwam leeg te staan en verloederde vijfhonderd jaar lang.

Maar op een dag, eeuwen en eeuwen later, werd het landhuis gekocht door de Amerikaanse miljardair Baas Busby. Hij was een oud en klein mannetje, met een huid zo oranje dat een sinaasappel zich ervoor zou schamen. Zijn tanden waren stralend wit. En de paar haren op zijn hoofd waren zo zwart geverfd dat ze gek genoeg bijna blauw leken. Het stak behoorlijk af bij zijn gezicht, dat nog het meest leek op een gedroogde abrikoos. Busby was rijk geworden door pretparken te bouwen. Hij had er al heel veel in Amerika, maar nu ging hij er ook een in ons land maken.

En hij noemde het: DROOMLAND.

Busby had een geweldig idee. De achtbaan van zijn nieuwe pretpark zou dwars door het oude en vervallen landhuis gaan!

Hij noemde zijn attractie: *DE RUÏNE-RIT!*

Het was een uniek plan. De achtbaan moest door het hele landhuis z o e v e n: door de grote dubbele deuren, door de gangen, door de kelder, door de kamers en door de ramen.

ZOEF!

Een oud en griezelig landhuis was de perfecte plek voor een spannende achtbaan. Het stof, de spinnenwebben, de kapotte kroonluchters aan het plafond: alles paste bij de akelige sfeer.

Bussen vol bouwvakkers kwamen aan. Maandenlang waren ze bezig met boren en timmeren, maar ze kregen de klus geklaard …

Het pretpak ging open en **DE RUÏNE-RIT** werd al snel de beroemdste achtbaan ter wereld. De attractie was zo populair dat mensen uit het hele land er dagen en nachten voor in de rij stonden ... terwijl het ritje zelf maar enkele seconden duurde.

Busby had al snel door dat er te veel bezoekers waren en dat hij een nieuwe achtbaan moest maken: nog groter en nog beter dan **DE RUÏNE-RIT.** Hij wilde immers niet langer een doodnormale miljardair zijn. Hij wilde een biljonair worden! Er was alleen één probleem: hij had elk lapje grond al volgebouwd met ritjes, restaurantjes en winkeltjes.

Het enige stuk rond **Landhuis Fantoom** dat Busby nog niet had gebruikt, was het bos aan de rand van de tuin.

En dus stuurde Busby daar een heel bataljon graafwerkers naartoe om alle bomen te kappen. Hij wilde er een gigantische achtbaan bouwen, die tot ver in de wolken zou reiken en die **DE RUIMTE-RIT** zou heten.

'IK WIL DAT HET BOS VERANDERT IN BETON!' blafte hij.

Bomen werden gekapt,

struiken werden weggevaagd,

en de grond werd omgespit.

Als je een beetje hebt opgelet, dan weet je misschien nog dat er *in* die grond een vijfhonderd jaar oude edelman en zijn vijfhonderd jaar oude hoofd waren begraven. De machines woelden in de aarde recht erboven ...

KRAAK!

Het lawaai wekte Hertog Fantoom uit zijn eeuwige slaap.

Hij was **een spook** geworden!

'**Wel heb je ooit!**' begon zijn hoofd, vastgeklemd onder een oksel, terwijl de edelman overeind kwam in zijn graf. 'In de naam van alles wat edel is, wat doen jullie en jullie mechanische beesten hier in **mijn** bos?'

Zoals alle spoken was Hertog Fantoom **doorzichtig** en lichtgevend.

De bouwvakkers schrokken zich een **helmpje** toen ze hem zagen.

'**AAAH!**' gilden ze.

Door alle paniek b^ot^st^en de graafmachines tegen elkaar en tegen de bomen.

BOTS! BEUK!

De bouwvakkers vluchtten weg in de bossen, gillend en schreeuwend en krijsend.

'HELP!' 'NEEEEEE!' 'MAMA!'

Hertog Fantoom kon zich nog herinneren dat hij een prachtige toespraak hield over koude tomatensoep. En hij wist nog dat het daarna opeens stil en donker werd. Maar hij had geen flauw idee dat er vervolgens honderden jaren voorbij waren gegaan en dat zijn prachtige landhuis was omgetoverd tot een pretpark. Sterker nog: hij wist niet eens wat een pretpark was! Vijfhonderd jaar geleden betekende *een gezellig dagje uit met de familie* immers dat je samen naar het dorpsplein ging om te kijken hoe er iemand werd onthoofd. Hertog Fantoom en zijn gezin hadden daar vaak ontzettend van genoten. Tot *zijn eigen hoofd* werd afgehakt, natuurlijk.

Dat was iets minder leuk.

Maar goed, je kunt je voorstellen dat Hertog Fantoom nogal schrok toen hij het bos uit liep en zag dat zijn perfect onderhouden tuin was veranderd in een **oerwoud** van ritjes en attracties.

Al dat lawaai!
Al die lichtjes!
AL DIE MENSEN!

'Bah!' mompelde het spook tegen zichzelf. 'Het stikt hier van de boerenkinkels!'

Maar natuurlijk kwam de grootste schok pas toen hij zijn geliefde landhuis binnenstapte.

Hij staarde naar de achtbaan en hapte naar adem. 'Wat is dit voor een tovenarij?'

Eerst was alles stil, maar toen hoorde hij iets rommelen ...

RRRRRRRR!

... en daarna zag hij honderden mensen, in een ketting van karretjes, die een looping door zijn balzaal maakten ...

ZOEF!

'AAH!'

... om vervolgens weer door het raam te verdwijnen.

Het spook was totaal overrompeld. Hij liet zijn hoofd op de grond vallen.

BONK!

'AU!'

Het hoofd stuiterde en rolde door de balzaal.

HOLDERDEBOLDER!

'Raap me op, stommeling!' schreeuwde het hoofd naar het lijf. 'Ik zit helemaal onder het stof. HATSJIE!'

Het lichaam strompelde vooruit en schopte er per ongeluk tegen.

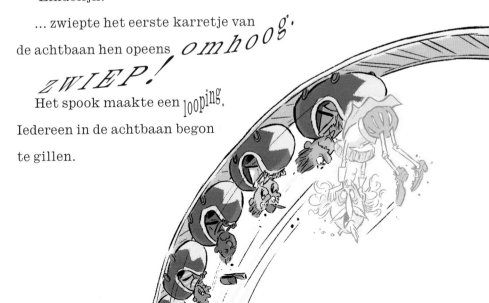

SCHOP! 'AU!'

Het lijf leek wel te voetballen met het hoofd. En daar zijn hoofden natuurlijk niet voor bedoeld. In het midden van de balzaal kwam het hoofd tot stilstand.

'HIER BEN IK!' gilde het. 'HATSJIE! En waag het niet me opnieuw te schoppen, jij onnozelaar!' Maar toen het lichaam zich bukte om het hoofd op te rapen ...

'Eindelijk!'

... zwiepte het eerste karretje van de achtbaan hen opeens omhoog.

ZWIEP!

Het spook maakte een looping. Iedereen in de achtbaan begon te gillen.

Toen de achtbaan plots tot stilstand kwam, werden Hertog Fantoom en zijn hoofd gekatapulteerd.

ZOEF!

En alsof dat allemaal nog niet beschamend genoeg was, landde de geest ook nog eens precies *BONK!* in een afvalbak.

Die afvalbak stond achter het restaurant **DE KIPLEKKERE KIP VAN BUSBY**.

Hertog Fantoom zat helemaal onder de olie, ketchup en chocolade-milkshake.

'Wat een schande!' gilde hij.

Toen het spook uit de afvalbak klauterde, zag hij de bouwvakkers uit het bos. Ze waren in gesprek met enkele mensen in uniform, die in grote letters het woord BEVEILIGING op hun rug hadden staan. De bouwvakkers ratelden als gekken, waardoor het moeilijk was om alles te verstaan. Maar het spook begreep er wel íéts van.

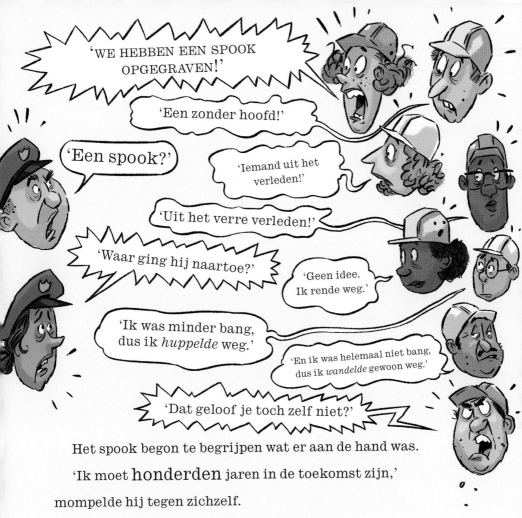

Het spook begon te begrijpen wat er aan de hand was.

'Ik moet **honderden** jaren in de toekomst zijn,' mompelde hij tegen zichzelf.

De dreunende muziek, de flikkerende lichtjes en de ijzeren machines bevestigden zijn vermoeden.

'Maar ik geef me niet gewonnen! Die boerenkinkels zijn **bang** voor me! Ik jaag ze gewoon weg uit mijn huis, **voorgoed!**'

Maar dat liep anders dan verwacht ...

Want toen het spook door het park paradeerde, begon hij stiekem te genieten van alle bange bezoekers. Alleen al het zien van een onthoofde middeleeuwse edelman was genoeg om hun de stuipen op het lijf te jagen!

'AAH!' 'HELP!'

'NEEEEE!'

Heb jij weleens een spook zonder hoofd gezien? Behalve die in dit boek, wijsneus!

Nee?

Dat dacht ik al.

Mensen vluchtten voor hun leven. Ze stroomden door de uitgang van DROOMLAND zoals water door een gebarsten dam. Om ze nog banger te maken, begon het spook allerlei kunstjes uit te halen met zijn hoofd.

Hij gooide het door de lucht ...

ZOEF!

Hij probeerde het hoog te houden als een voetbal ...

SCHOP! SCHOP! SCHOP! SCHOP!

En hij plaatste het zelfs ondersteboven op zijn

lichaam. Dat omgekeerde gezicht was écht geen

gezicht. 'Ren maar weg, boerenkinkels!' gilde

het spook naar een stoet oudjes die naar de

uitgang strompelde.

Al snel was het pretpark uitgestorven. Het spook

had **Landhuis Fantoom** weer voor zichzelf.

'Wat een schande! Mijn prachtige huis is helemaal

verpest door al die afschuwelijke kermisspullen!' Maar

stiekem was hij ook nieuwsgierig ... 'Misschien kan ik er

eentje uitproberen,' mompelde hij tegen zichzelf.

Hij liep naar **De boomstambaan.** Het pretpark

was leeg, dus hij hoefde niet in de rij te wachten. Het spook

kroop in de eerste boomstam en liet zich langzaam de steile

helling op trekken. 'Jeetje, dit is saaier dan saai!' merkte hij op. Tot hij bovenaan de helling kwam en eindelijk begreep waar hij echt naartoe ging.

Naar beneden!

Met een rotvaart!

De boomstam plonste in het water.

'JOEPIE!' gilde hij. 'Nog een keer! Nog een keer!'

Het park was leeg, dus hij kon meteen opnieuw in de attractie. Opnieuw en opnieuw.

Hij ging wel tien keer op rij in **De boomstambaan!**

Vervolgens was **Het piratenschip** aan de beurt. Daar ging hij vijftig keer in. 'SCHIP AHOI!'

En daarna renden het lichaam en het hoofd naar *DE ONTSPOORDE TREIN.*

Het spook was vijfhonderd jaar geleden overleden en had dus geen idee wat een trein was, laat staan een *ontspoorde trein*. Maar opnieuw ging hij keer op keer op keer in de attractie. Hij had de tijd van zijn leven … of zijn dood, want hij was tenslotte wel een spook.

'TJOEKETJOEKE!' gilde Hertog Fantoom, alsof hij zelf in een trein was veranderd. Toen hij eindelijk was uit-gespeeld, zag hij in de kiosk wel honderd foto's van zichzelf hangen. Die waren gemaakt tijdens de ritjes.

'Wat edel! Ze zijn perfect geschilderd!' riep hij vrolijk. Hij bewonderde zichzelf en al zijn vrolijke gezichten.

Het was inmiddels al middernacht, maar er viel nog veel te ontdekken in het park. En dus ging het spook verder.

De theekopjes!

Dat was zo'n ronddraaiende attractie, waarbij je in ronde rondjes wordt rondgedraaid. Na zo'n duizend rondjes dacht het spook dat hij ging overgeven. Hij voelde de koude tomatensoep van vijfhonderd jaar geleden al borrelen in zijn buik. Zijn lichtgevende huid kreeg een *gifgroene* glans.

VOOR

NA

DE BOTSAUTO'S!

Met zijn handen aan het stuur en zijn hoofd in zijn schoot kon het spook niet zien waar hij reed. En dat maakte de attractie alleen nog maar LEUKER. Het spook sjeesde over de baan en botste zo hard mogelijk tegen de andere auto's.

BOTS! BOTS! BOTS!

Het spookhuis!

Daar kreeg zelfs een echt spook de kriebels van. Aan het einde van de attractie greep Hertog Fantoom zijn hoofd en holde hij zo snel mogelijk naar buiten.

'Tovenarij!' gilde hij. 'Verdwijn, geesten! Verdwijn!' Maar toen bedacht hij zich iets. 'Ik bedoel de andere geesten! Niet mezelf. Alleen de echt enge geesten!'

Nog voor de ochtend aanbrak, had het spook alle attracties van DROOMLAND uitgeprobeerd.

'Eerlijk is eerlijk ...' mompelde hij tegen zichzelf, terwijl hij heen en weer wiebelde op een plastic paddenstoel-stoeltje. 'Al die uitvindingen hebben deze oude plek wel nieuw leven ingeblazen!'

De zon kwam langzaam tevoorschijn. In de verte klonk een ratelend geluid.

RATEL!

Hertog Fantoom sprong overeind en zag een helikopter door de lucht sjezen.

'Mijn edelheid! Wat is dit voor een vliegende draak?'
riep hij uit.

De helikopter landde vlak bij het spook. Een kleine man
stapte uit. 'Goedemorgen!' zong hij.

'U ook een edele morgen! Mag ik een ritje maken met uw
gevleugelde beest?'

'Later misschien. We moeten eerst praten.'

'Praat zoveel u wilt, mijnheer!'

'Ik ben Baas Busby.'

'Wat is dat voor een bespottelijke naam?'

'Het is een Amerikaanse naam.'

'*Amerikaans?* Daar heb ik nog nooit van gehoord!'

Busby grinnikte.

'Ik eis te weten wie u bent!' sputterde het spook.

'Nou, ik ben een miljardair. En ik ben de eigenaar van **DROOMLAND.**'

'U bedoelt **Landhuis Fantoom!** Daar ben IK de eigenaar van! En ik ben een honderdair!'

'Kalm aan, meneer Fantoom.'

'Het is **Hertog** Fantoom, schavuit! Wilt u soms een duel?'

'*Hertog* Fantoom, mijn excuses. Maar laten we redelijk blijven. U bent al vijfhonderd jaar dood. Ik kocht deze bouwval en maakte er het mooiste pretpark ter wereld van. En opeens komt u weer tot leven om alles te verpesten!'

'Ik kan er ook niets aan doen dat uw werklui mij wakker maakten!'

'U had daar nooit begraven mogen zijn!'

'Geloof het of niet ... maar nadat mijn hoofd werd afgehakt, had ik daar nog maar weinig over te zeggen!'

'Kunt u alstublieft gewoon teruggaan naar waar u vandaan komt?'

'Hoe durft u? Ik ben Hertog Fantoom! En dit is **Landhuis Fantoom!** Dit is waar ik vandaan kom! Dit is mijn huis! Nee! Nooit! Dus maak dat u wegkomt, mijnheer Bassie

Busbus … of wat uw belachelijke naam ook is!'

Busby was een miljardair, dus hij was het niet gewend om *niet* zijn zin te krijgen. Zijn ogen werden kleiner. Zijn neusvleugels begonnen te trillen. Zijn oren klapperden.

'HOE DURFT U!' bulderde hij.

'IK DURF HET GEWOON! IK DURF!'

'MAAR IK DURF HET OOK!'

'IK DURF HET DUBBEL!'

'IK DURF HET DRIEDUBBELDIKDURF!'

Opeens klonk er een boel lawaai. Het kwam van de poorten van DROOMLAND. Het nieuws van een levensecht (of liever een *doodsecht*) spook was als een lopend vuurtje rondgegaan. En nu waren duizenden mensen naar het pretpark gekomen om dat hoofdloze spook te zien.

'WE WILLEN NAAR BINNEN!' riepen ze, rammelend aan het grote toegangshek.

'Wat eisen deze boerenkinkels?' vroeg het spook.

'WE WILLEN HET SPOOK ZIEN!' zongen ze.

Baas Busby kreeg grote ogen. 'Ik word rijk!' riep hij. 'Nou ja, ik bén al rijk. Maar ik word rijker dan rijk! Geen biljonair, maar een triljonair!'

'Komen ze voor … *mij*?' vroeg het spook. Hij deed zijn best om voor het eerst in zijn leven bescheiden te klinken. Of beter: voor het eerst in zijn *dood*.

'Natuurlijk!' gilde Busby. 'Dit kan 's werelds eerste pret-park met een *echt* spook worden! Dat zou sensationeel zijn!'

'Sensationeel, zegt u?'

'Ja!'

'Hm ...' twijfelde het spook. 'En heb ik daar ook nog iets over te zeggen?'

'Als het moet ...' antwoordde de keiharde zakenman. 'De vraag is, edele heer, of u graag het beroemdste spook van de hele wereld wilt worden?'

Nu kreeg Hertog Fantoom grote ogen. Grote, doorzichtige en lichtgevende ogen. 'Als u het zo stelt ... Open de poort! Laat die boerenkinkels maar binnen!'

Hertog Fantoom werd meteen **OMSINGELD** door duizenden mensen. Ze wilden allemaal het echte spook ontmoeten. En met hem op de foto. Ondertussen bedacht Busby een nieuwe naam voor DROOMLAND.

Hij noemde het pretpark voortaan: **Nachtmerrieland**.

Het onthoofde spook was de **HOOFDATTRACTIE.**

Uit alle landen van de wereld kwamen mensen naar **Nachtmerrieland** om hem te ontmoeten.

'Welkom in **Nachtmerrieland**, boerenkinkels!' glimlachte

hij bij de poort. Daarna trok het spook zich terug, om zich te verstoppen tussen de ritjes. En als de kettingen van karretjes voorbij kwamen razen, dan gooide hij zijn hoofd in de lucht om de inzittenden de schrik van hun leven te bezorgen.

'BOE!'

'AAAH!' gilden de dolblije bezoekers.

Dankzij Hertog Fantoom werd **Nachtmerrieland** het populairste pretpark van de hele wereld.

En je zult het vast fijn vinden om te horen dat Baas Busby daardoor een multitriljonair werd!

Het enige wat de bezoekers niet leuk vonden, was dat Hertog Fantoom eiste dat het restaurant van **Nachtmerrie-land** voortaan ook koude tomatensoep ging serveren.

Dat restaurant kreeg trouwens ook een andere naam:

DE KIPLEKKERE KIP-ZONDER-KOP VAN HERTOG FANTOOM VOOR BOERENKINKELS.

Heel af en toe bestelde een nietsvermoedend kind die beruchte soep. 'Bah, het is koud!' zei zo'n kind dan.

'Het is *gazpacho!'* gilde de edelman altijd.

'Het hoort koud te zijn!'

En de soep druppelde dan dwars door zijn nek op de tafel.

Mijn moeder
is een
ZOMBIE

HET WAS NACHT. Een vreselijke **STORM** raasde over de planeet. En het ondenkbare gebeurde. De doden stonden op uit hun graf en ZOMBIES OVERSPOELDEN DE AARDE!

In elk dorp, in elke stad, in elke provincie en in elk land stikte het van de zombies. Gelukkig zijn die monsters makkelijk te herkennen.

HOE HERKEN JE EEN ZOMBIE?

Rode ogen

Bleke huid

Bloedspetters

Uitgestrekte armen

Schokkerige bewegingen

Warrig haar

Doodse blik

Geen woorden, maar grommen

Vieze kleren

De geur van beschimmeld kattenvoer

Je hebt gelijk: je grote broer of zus ziet er precies zo uit. Maar in dit geval waren het toch echt zombies!

De zombies wilden maar één ding: levende mensen eten. Wie door een zombie werd gebeten, veranderde zelf ook in een zombie. Daardoor kwamen er steeds meer zombies bij. Als je er eentje tegen het lijf liep, moest je rennen-rennen-rennen voor je leven!

Dat lukte niet iedereen. Dit verhaal gaat bijvoorbeeld

over Maria. En zij veranderde in een ZOMBIE!

Maria was een alleenstaande moeder. Ze was de liefste en zorgzaamste ouder die een kind zich maar kan wensen. Haar zoon Bruno was een grote geluksvogel, want zelfs in haar eentje gaf zijn moeder hem de liefde van niet een, niet twee, maar wel drie ouders!

Na de ZOMBIE-APOCALYPS trokken moeder en zoon zich terug in een caravan in het bos. Ze kampeerden in de buurt van Arcadia, een klein dorp dat nog niet was over-woekerd door zombies. Die monsters hielden namelijk meer van steden dan van het platteland. In volgebouwde gebieden

konden ze immers veel meer mensen eten!

Elke week fietsten Maria en Bruno naar Arcadia om bood-schappen te doen. Het viel hun altijd op dat het hele dorpje werd bewoond door oude dames. *Alleen* door oude dames.

Als moeder en zoon het dorp binnenfietsten, bleven de oude dames altijd op afstand. Maar ze roddelden wel over hen en ze hielden hen wel angstvallig in de gaten. Vaak klonk het alsof ze een andere taal spraken, een taal die Bruno niet kon thuisbrengen.

Af en toe verdwenen de oude dames in de bibliotheekbus van het dorp. Dat vreemde voertuig dook zo-maar op de gekste plekken op. Maar het vreemdste was dat alle oude dames soms midden  in de nacht stilvielen om naar de sterren aan de hemel te staren ...

Toen ze zich klaarmaakten om met hun caravan naar een volgend dorp te trekken, gebeurde het onvermijdelijke.

Er klonk een sirene.

WAHOE! **WAHOE! WAHOE!**

'ZOMBIES!' gilde Bruno boven het lawaai uit.

'WE MOETEN HIER WEG! NU!'

En dus sprong het duo op de fiets. Bruno zat voorop en Maria trapte.

'Waar gaan we naartoe?' vroeg Bruno.

'Naar het station! We nemen de eerste trein naar zo-ver-mogelijk-hiervandaan!'

'Maar waar is dat dan?'

'Dat weet ik ook nog niet! Zolang er maar geen zombies zijn!'

Samen sjeesden ze door Arcadia. Overal zagen ze zombies, ZOMBIES en nog meer ZOMBIES!

Zombies in het **postkantoor.**

Zombies op de *jeu-de-boulesbaan.*

Zombies in het **CAFÉ.**

Zombies op het *kerkhof.*

Zwemmende zombies in de *vijver.*

'MAMA! ZOMBIE!' gilde Bruno.

Een zombie had hun pad gekruist. Met uitgestoken armen probeerde hij hen te grijpen.

'**GRR!**' gromde het monster.

De zombie greep mis, maar draaide zich meteen om en zette de achtervolging in. Verderop probeerden zombies de weg te versperren. Maria slalomde met alle macht tussen hun graaiende klauwen door. Toen het tweetal eindelijk bij het station kwam, bleek de trein net te vertrekken.

TJOEKETJOEKE!

'WE ZIJN TE LAAT!' schreeuwde de jongen.

'HOU JE STEVIG VAST!' gilde Maria.

Ze trapte *harder* en *harder*.

ZOEF!

Ze moesten supersnel zijn, want dit was hun laatste kans om met de trein uit Arcadia te vluchten.

Maar toen sloeg het NOODLOT toe!

'MAMA, KIJK UIT!' huilde Bruno, maar het was al te laat.

Ze fietsten over een verloren wandelstok …

WOESJ!

Bruno vloog van de fiets …

'AAAAAH!'

En de jongen viel op de grond met een **BOF!**

'BRUNO! NEE!' gilde Maria.

Ze sprong van haar fiets om hem op te rapen.

Met de jongen in haar armen rende ze zo snel als ze kon.

Maar de zombies kwamen steeds dichterbij.

'GRR!'   'GRR!'
  'GRR!'
          gromden de zombies.

Zombies zijn namelijk geen geweldige gespreks-partners. Net als tieners, eigenlijk.

'HELP ONS!' krijste Maria naar de mensen die al waren ingestapt.

Lieve handen werden uitgestoken,

en Bruno werd in veiligheid gebracht.

Daarna holde Maria zelf naar de dichtstbijzijnde open deur. Maar ze struikelde over een gevallen koffer ...

STRUIKEL!

En belandde halsoverkop op de grond op het perron.

BOEM!

'MAMA!' gilde Bruno. 'ACHTER JE!'

Achter Maria dook inderdaad een grote, GEMENE zombie op. Het monster greep haar bij de enkels en tilde haar op.

'LAAT ME LOS, ELLENDELING!' schreeuwde Maria.

'GRR!' gromde de zombie.

Het monster beet in haar enkels, maar Maria schopte hem meteen weg.

SCHOP!

Terwijl het beest achteroverviel, kroop Maria overeind.

Daarna sprong ze de trein in.

Bruno sloeg zijn armen om haar heen.

Hij gaf zijn moeder een stevige knuffel.

'Mama! Ik dacht echt dat ik je kwijt was!'

'Nee hoor, Brunootje! Ik blijf bij jou. Voor eeuwig en altijd!'

Bruno keek naar de enkel van zijn moeder. 'Mama! Ben je gewond?' vroeg hij.

'Nee ...' jokte ze. Een druppel bloed droop over haar voet. De tanden van de zombie hadden haar huid amper geschaafd. Maar waarschijnlijk was dat toch genoeg om Maria in een zombie te veranderen!

Bruno hapte naar adem. Hij vreesde het ergste. En dat ergste gebeurde ook ...

Maria veranderde heel langzaam. Toen zij en Bruno zich met de andere vluchtelingen verstopten op een klein zombie-vrij eiland in het midden van de oceaan, had niemand door dat ze eigenlijk een ondode was. Ze was namelijk nog geen TOTALE ZOMBIE.

Haar huid was maar een beetje bleek.

En haar ogen waren slechts een tikkeltje rood.

Haar kapsel was maar een ietsiepietsie warrig.

Ze bewoog slechts een muizenbeetje schokkerig.

En amper de helft van haar woorden waren

grommen.

Maar af en toe strekte ze *wel* haar armen voor zich uit.

En soms rook ze *wel* vaag naar beschimmeld kattenvoer.

Op de enige televisie van hun verborgen eiland zagen

ze hoe alle legers van de wereld samenwerkten om de

ondoden te vernietigen en de ZOMBIE-APOCALYPS

te stoppen. De laatste overlevenden deden een vreugde-

dansje, want alle zombies waren uitgeroeid.

Op eentje na dus ...

Bruno wist dat zijn moeder een ZOMBIE was!

Maar hoelang kon hij haar ZOMBIEHEID*

nog geheimhouden?

Het duo keerde terug naar huis, naar de caravan in het

bos. Bruno wist zeker dat dit de veiligste plek was voor hem

en zijn zombiemoeder.

Het enige probleem: ze was overduidelijk niet zomaar

een alledaagse doorsneemoeder.

Bruno ging naar school in een dorpje wat verderop.

Wanneer de laatste les van de dag was afgelopen, stond er

---

* Dit belachelijke woord vind je zelfs niet terug in het Walliamsoordenboek, het belangrijkste opzoekboek van onzinwoorden.

vaak een rij van ouders te wachten bij de schoolpoort. En
als een van de papa's of mama's per ongeluk een
beetje duwde, dan ging Maria's zombie-
brein koken. Ze tilde de ouder op
en gooide hem of haar de
struiken in.

ZOEF!

'MAMA!'

Wanneer Maria op zaterdagochtend naar Bruno's
voetbaltraining ging kijken, begon ze vaak zelf op de bal te
jagen. Ze porde alle kinderen opzij en schopte zo hard tegen
de bal dat zelfs de keeper in het doelnet belandde.

'AU!'   'MAMA!'

Nog voor het einde van de wedstrijd kneep ze de voetbal
fijn met haar supersterke zombiehanden. Dan ontplofte
het ding als een **ballon.**

PLOF!

'MAMA!'

Wanneer Bruno ergens in de caravan een potlood kwijt-raakte, dan tilde zijn moeder het hele huis op en schudde ze het heen en weer totdat het potlood eruit viel. Het potlood én alle andere spullen: borden, boeken, stoelen …

RATEL!
BOLDER!
'MAMA!'

De oude dames van Arcadia bekeken het duo nog angstvalliger dan voorheen. Bruno moest hun soms leugentjes vertellen. Leugentjes zoals:

'Mama voelt zich niet zo lekker.'

'O, nee hoor. Mama GROMDE altijd al zo!'

'Sorry, mama heeft een bijterige bui vandaag!'

Hoe meer zijn moeder op een zombie begon te lijken, hoe wanhopiger Bruno probeerde om haar geheim verborgen te houden.

De jongen ...

verfde 's ochtends haar gezicht met make-up, zodat ze er net wat minder bleek en doods uitzag ...

stopte een kazoo in haar mond, zodat haar grommen iets muzikaler klonken ...

spoot haar van top tot teen onder met luchtverfrisser, zodat ze wat minder naar beschimmeld kattenvoer rook ...

gaf haar een dienblad vol drankjes, zodat het logischer leek dat ze haar armen altijd voor zich uit strekte ...

propte haar voeten in oude rolschaatsen, zodat ze soepeltjes over de straat sjeesde en haar schokkende bewegingen wat minder opvielen ...

Maar natuurlijk: een moeder met de schmink van een clown en de geur van een dennenbos, die op rolschaatsen door het dorp reed terwijl ze kazoo speelde en een dienblad vol drankjes droeg ... die had nogal wat bekijks.

De oude dames van Arcadia hadden dan ook snel door dat er iets vreemds aan de hand was met Maria. Daarom kwamen ze bij elkaar in het dorpshuis voor een vergadering.

'Het is tijd ...' zei de burgemeester. 'We moeten achterhalen of ze echt een zombie is!'

'Je hebt gelijk!'

Toen de avond viel, strompelden de oude dames van het dorpshuis naar de bibliotheekbus. Met wel tien kilometer per uur reden ze naar de rand van het bos. Ze waren klaar voor de strijd, want ze hadden allerlei dodelijke wapens meegenomen:

Een koekjestrommeldeksel

Paraplu's

Kaasschaven

Een theezeefje

Een boekenlegger

Hondenpoepschepjes

Gebruikte zakdoekjes

Een pen-aan-een-kettinkje

Een garde

Lepels

Plumeaus

Een poes

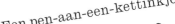

Bruno en zijn moeder zaten in de caravan te schaken. De jongen wist inmiddels dat hij zijn moeder moest laten winnen. Anders zou ze het bord weer in tweeën *breken* en proberen op te eten.

Net toen zijn moeder haar zoveelste domme zet deed, werd Bruno afgeleid door schaduwen buiten de caravan.

'Mama? Ik denk dat daar iemand is!'

'GRR!' antwoordde ze, want inmiddels zei ze alleen nog maar 'GRR!'

De jongen drukte zijn gezicht tegen het raam en zag de oude dames, hun kinnen verlicht door zaklampen. Ze zagen er griezelig uit. Misschien zelfs griezeliger dan zijn moeder, en zij was nog wel een zombie!

'AAH!' gilde hij. Maar toen raapte hij zijn moed weer bij elkaar. 'Mama, hier blijven!' zei hij.

'GRR!'

Bruno ademde diep in en opende de deur van de caravan.
'Goedenavond!' zei hij vrolijk. Hij glimlachte zijn grootste glimlach.

Maar die bleek niet aanstekelijk. De oude dames fronsten hun fronzendste frons.

'We willen je moeder spreken!' zei de burgemeester.

'Die is niet thuis!' jokte Bruno.

En precies op dat moment verscheen zijn moeder achter hem.

'**GRR!**' gromde ze.

'AAAAAH!' gilden de oude dames.

'O ... Hoi mama! Ik had je niet gezien daar!' kirde Bruno. 'Zullen we verdergaan met schaken?'

Ze nam een hap van een schaakstuk.

Hap!

'Wij hebben sterk het vermoeden dat jouw moeder ... een **ZOMBIE** is!' verklaarde de burgemeester.

'MIJN MOEDER? EEN ZOMBIE?' antwoordde de jongen. 'HAHAHA! Hoe komen jullie daar nu bij?'

'**GRR!**' viel zijn moeder hem bij. Al hielp dat niet echt.

Toen trok ze de deur uit de caravan en smeet die over de hoofden van de oude dames. Het ding leek wel een frisbee.

De oude dames bukten en de deur sloeg tegen een boom.
Zo hard dat de boom omkukelde.

BONK!

'Blij dat dit misverstand is opgehelderd!' zong Bruno.
'Dan wens ik jullie nog een prettige avond!' Hij maakte zich
klaar om de deur van de caravan weer dicht te doen, maar
besefte toen dat die deur er niet meer was.

'Niet zo snel!' zei een van de stokoude dames. Ze
strompelde uit de bibliotheekbus, leunend op een looprekje.
Het duurde een poosje voordat ze bij de caravan was. 'We
zullen je moeder vernietigen,' zei ze. 'Al is dat het laatste
wat we doen!'

'Met een ... *garde*?' lachte Bruno.

Zelfs zijn zombiemoeder moest lachen. **'HUHU!'**

'Dit is niet zomaar een garde!' zei de oude dame. 'Dit is een **LASERWAPEN!'**

Ze klungelde wat met een knopje op het handvat van de garde ...

... en schoot er een rode **LASERSTRAAL** uit.

FLITS!

De straal knalde een brandend gat in de caravan.

KNAL!

'Wat moet jij nu met een **LASERWAPEN?** Je bent een oude dame!'

'Ik ben geen oude *dame*. Ik ben een oud **ruimtewezen** van de planeet **XoxOxoxOxoxOxoxOxo!'**

'Wat een rare naam voor een planeet ...'

'Nou ... wel beter dan *de aarde*!'

Daarna trok ze haar masker af. Eronder verscheen een doodenge hagedissenkop.

'Dames!' gilde het ruimtewezen.

En alle oude dames volgden haar voorbeeld.

De ene doodenge **hagedissenkop** na de andere kwam tevoorschijn ...

'AAH!' gilde Bruno.

'**BLURG!**' gromde zijn moeder. Het is niet makkelijk om een zombie te laten schrikken, maar het was de oude dames gelukt.

'Wat zijn jullie van plan?' vroeg Bruno aan de **ruimtewezens.**

'We willen de macht over de aarde. Maar eerst moeten we de mensheid uitroeien! En we beginnen met jullie twee!'

Opeens bleek elk **ruimte- wezen** een *LASERWAPEN* bij zich te hebben.

FLITS!
FLITS!

Uit alle huis-tuin-en-keukenspulletjes kwamen dodelijke stralen van rood licht tevoorschijn. De laserstralen raakten de caravan. Die veranderde in een bol van vuur.

'SNEL!' gilde Bruno. Hij greep de hand van zijn moeder. Ze buitelden het brandende huis uit en vielen met een harde B O N K ! op de bosgrond.

'GRR!' gromde de zombie.

Bruno hielp zijn moeder overeind. Meteen daarna besefte hij dat ze omsingeld waren door de **oude-dames-hagedis-ruimtewezen-dingen!**

'O jee ...' zei de jongen.

'Klaar om uitgeroeid te worden?' vroeg het **ruimte-wezen** met de garde. Ze leek de leider van het stel. 'En garde!' En weer schoten alle **ruimtewezens** hun *LASERSTRALEN* in het rond. De lichtflitsen zetten de grond in vuur en vlam.

FLITS!

FLITS!

FLITS!

FLITS! FLITS!

Bruno greep opnieuw de hand van zijn moeder en trok haar weg achter een boom. De **ruimtewezens** kwamen steeds dichterbij. Met elke stap schoten ze een **LASER-STRAAL** naar de boom.

'We gaan eraan ...' fluisterde Bruno.

'**GRR!**' gromde zijn moeder. Ze schudde het hoofd.

Daarna sloeg ze haar supersterke armen om de boom en begon ze het ding uit de grond te sjorren.

'**GRR!**'

'Daarmee kunnen we ze de baas!' zei Bruno.

'**GRR!**' antwoordde zijn moeder. Nu knikte ze.

Maar hoe hard ze ook trok, ze kreeg de boom niet uit de grond. 'Laat me helpen!' zei Bruno. Maar hij was niet sterk genoeg om echt van nut te zijn.

De lichtflitsen bleven komen.

'TIJD OM AFSCHEID TE NEMEN!' zei een van de **ruimtewezens.** De stem klonk vlak bij de boom.

Opeens kreeg Bruno een idee. Een briljant én afschuwelijk idee.

'BIJT ME!' gilde hij.

'HUH?' gromde zijn moeder.

'BIJT ME! ZO VERANDER IK OOK IN EEN ZOMBIE!'

Zijn moeder schudde opnieuw het hoofd.

'BIJT ME! ALSJEBLIEFT! IK SMEEK JE! DAT IS ONZE ENIGE KANS!'

Ze schudde het hoofd nog meer.

'Ook goed. Dan *zorg* ik er wel voor dat je me bijt!' zei Bruno. Hij stak het puntje van zijn ene wijsvinger in haar mond en kietelde met het puntje van de andere vinger onder haar kin.

⋯ deed haar mond ⋯

en zo beet ze op zijn vinger.

'AU!'

gilde Bruno.

De **ruimtewezens** hadden inmiddels de boom omsingeld. Ze keken verbaasd op toen de jongen recht voor
hun neus begon te **veranderen.**

Zijn huid werd lijkbleek. Zijn ogen werden bloedrood.

En hij begon te stinken als een eiland van beschimmeld
kattenvoer!

Maar het beste was dat hij **zombiekrachten** kreeg.
Net zoals zijn moeder!

'**GRR!**' gromde hij.

Samen met zijn moeder sjorde hij de boom uit de grond.

Ze zwiepten het ding in het rond.

ZWIEP! De **ruimtewezens** knalden als tennisballen door de lucht.

De **LASERWAPENS** vlogen uit hun klauwen en landden ver buiten hun bereik.

Nu was het de beurt aan de ZOMBIES om de **ruimtewezens** bang te maken. Ze strekten hun armen voor zich uit en liepen naar hun aanvallers.

'**GRR!**' gromden moeder en zoon in koor.

Zonder hun wapens waren de **ruimtewezens** een stuk minder stoer.

'TERUG NAAR HET RUIMTESCHIP!' zei hun leider dan ook. De **ruimtewezens** volgden haar bevel en vluchtten richting de bibliotheekbus. Die begon rood te gloeien en veranderde in een ruimteschip!

PLONK! BONK! HONK!

En toen **zoefde** het voertuig de lucht in.

ZOEF!

Het zombieduo staarde vanaf de aarde naar de nachtelijke hemel.

'**GRR!**' gromde het tweetal tevreden.

Een grote glimlach kroop over hun bleke gezicht.

Ze gaven elkaar de stevigste knuffel van hun ondode leven.

Het tweetal had een invasie van **ruimtewezens** voorkomen! Ze hadden de wereld gered!

Het enige nadeel was dat ze nu ALLEBEI ZOMBIES waren!

Maar ja ... niemand is perfect.

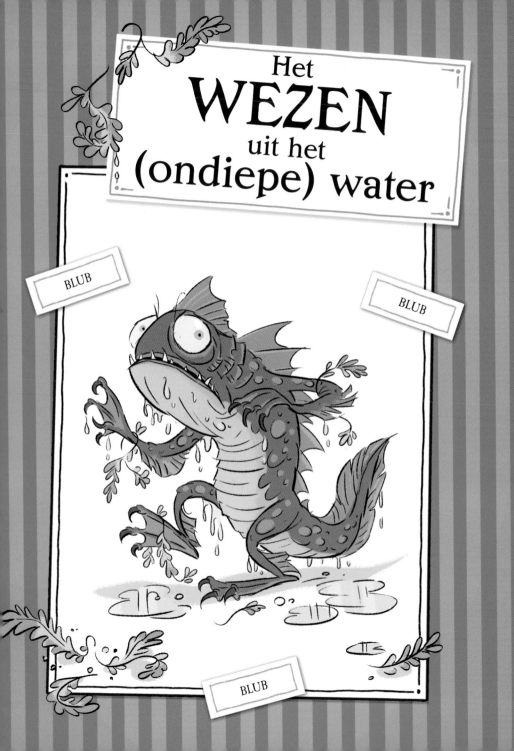

Het
WEZEN
uit het
(ondiepe) water

HET VIJVERWATER was **zwart** geworden. Eigenlijk was het zelfs geen water meer, maar een dikke, donkere **smurrie.** Dodelijk voor alles wat erin viel. De vissen en kikkers waren jaren geleden al uitgestorven. Zelfs de waterlelie leken voorgoed verdwenen onder het borrelende oppervlak.

De vijver lag in een verwaarloosde tuin, een **oerwoud** van onkruid en brandnetels. Aan de rand van de tuin torende de grootste boom die je ooit hebt gezien. Die boom had geen bladeren, maar was gewoon een eindeloze wirwar van dood hout. De tuin hoorde bij een oud landhuis ergens op het platteland. Dat huis stond al honderd jaar te verrotten en was daardoor veranderd in een krakende bouwval. De houten vloerplanken waren gebarsten. Het behang bladderde van de muren. De ramen waren gebarsten of dichtgetimmerd.

Met andere woorden: het *huis* was niet bepaald een *thuis*. Maar toch woonde Sally er. Het meisje was een weeskind. Ze was ooit naar het landhuis gestuurd om er in te trekken bij haar oma's.

Die twee dames hadden een hartstochtelijke hekel aan elkaar ... Veel kinderen hebben een *lieve* oma en een **gemene** oma. De *lieve* deelt altijd snoepjes uit en de **gemene** pakt altijd snoepjes af.

Maar Sally had twee **gemene** oma's.

De oma's woonden samen uit gemakzucht. Het was immers goedkoper om de rekeningen te delen ... hoewel geen van beiden ooit de verwarming aanzette of een bad liet vollopen. Ze konden dat makkelijk betalen, want onder hun bed stond een oude koffer vol geldbiljetten ... maar ze waren er gewoon te **gemeen** voor.

Hun namen waren oma Drek en oma Derrie. Je kon ze makkelijk uit elkaar houden:

Oma Drek leek op een misvormde **KEVER** ...

en rondom oma Derrie hing altijd een **wolk** van stof en vuil. (Maar ook van stink en stank, hoor.)

STINKENDE STONKENDE STANK!

De twee oma's waren de **gemeenste** oma's in de geschiedenis van de omaheid.*

De oma's waren **gemeen** tegen elkaar. Ze verstopten bijvoorbeeld *sidderalen* in het toilet. Als de ander even lekker ging zitten, kreeg die meteen een *stroomstoot* in de billen.

KNISPER!

De oma's waren **gemeen** tegen vreemden.

Als iemand aan de deur kwam voor het goede doel, dan bekogelden ze die persoon met rotte eieren ... en daarna pikten ze de collectebus.

PATS!

De oma's waren **gemeen** tegen dieren. Als een poes hun tuin binnensloop, dan **SPOTEN** ze het arme dier weg met de tuinslang.

* Je kunt dit woord (en ontelbaar veel andere onzinwoorden) altijd opzoeken in het **Walliamswoordenboek**.

De oma's waren **gemeen** tegen hun vrienden.

O nee, wacht ... Ze *hadden* helemaal geen vrienden. Daar waren oma Drek en oma Derrie veel te **gemeen** voor.

Maar de oma's waren **vooral gemeen** tegen één specifiek iemand: hun kleindochter. De oma's hadden Sally alleen geadopteerd zodat het weeskind hun slaafje kon worden. Het arme meisje moest **alles** voor hen doen:

met een rasp het **EELT** van hun voeten krabben ...

in hun **neus** peuteren ...

(op haar verjaardag mocht Sally als een smakelijk cadeautje soms de **snotjes** opeten, maar dat aanbod sloeg ze beleefd af)

de *haren* uit hun kin plukken en in een plakboek bewaren voor het nageslacht ...

met een potloodje het **vuil** onder hun nagels vandaan halen ...

en met een rietje het **oorsmeer** uit hun oren zuigen!

Door die **gemene** oma's had Sally een ellendig leventje. Ze mocht niet naar school, want ze had thuis **genoeg werk te verrichten!** En ze mocht enkel naar buiten om boodschappen te doen. Alleen rond middernacht had Sally wat tijd voor zichzelf. Dan waren de meeste klusjes wel gedaan *en* lagen de oma's al in bed. 's Ochtends zouden oma Drek en oma Derrie weer schreeuwen om ontbijt op bed, maar tot dan kon Sally rustig door de overwoekerde tuin dwalen. Daar voelde ze zich altijd aangetrokken tot de **zwarte vijver …**

Soms zag Sally een luchtbel aan het oppervlak.

BLUB!

Of een kronkeling in de diepte.

KLOTS!

Of ze zag de **blubbersmurrie**

plotseling stijgen en over de rand van de

vijver borrelen.

B O R ^R E L !

Diep vanbinnen *wist* ze dat er iets in de vijver leefde …

Op een nacht gebeurde er iets vreselijks.

Een **poot met zwemvliezen** kwam plotseling uit de

blubbersmurrie omhoog!

'AAH!'

gilde Sally.

Ze holde terug naar het landhuis, stoof

de trap op en stormde zonder te

kloppen de slaapkamer van haar oma's

binnen.

'Wakker worden! Ik heb een

monster gezien!' schreeuwde ze.

'Een monster in de vijver!'

'HOE DURF JE ONS ZOMAAR WAKKER TE MAKEN?'

brulde oma Drek vanuit het grote bed. Vroeger was het een mooi en groot bed, maar de oma's hadden het laten verrotten tot *alleen* een groot bed.

'Dat meisje moet eens een goed pak rammel krijgen!' zei oma Derrie.

'Dat komt later wel! Alsjeblieft! Dit is belangrijk! Heel belangrijk! Ik zag net een monster in de vijver!'

'KLEINE JOKKEBROK!' gromde oma Drek.

'Een pak rammel is te mild. Ze verdient een *vrachtwagen* vol rammel!' zei oma Derrie.

'Luister nu eens! Kunnen jullie voor één keer gewoon naar me luisteren? Ik vertel de waarheid!'

'Dat is precies wat een jokkebrok zou zeggen!'

'Inderdaad!'

'Ik meen het! Ik zweer het op mijn **ELLENDIGE** leventje! Er is een levensecht monster buiten! Alsjeblieft! Kom zelf maar kijken!'

De oude dames grommelden en rolden uit het bed.

'ZUCHT!'

Gewapend met een wandelstok en een paraplu strompelden de oma's naar buiten. Ze maaiden zich een weg door de woekerplanten en **stampten** richting de vijver.

Natuurlijk was het wezen nergens te bekennen.

'Nou, waar is dat monster dan?' gromde oma Derrie.

'Net was hij nog hier! Echt waar!'

'We zouden haar een weekje moeten opsluiten in de kerker,' mopperde oma Drek. 'Hoe durft ze ons hiervoor uit bed te tillen!'

'Ik zweer dat er hier iets is! KIJK DAN!'

De twee oude dames staarden in de zwarte **blubber-smurrie**. Die bleef volkomen stil.

'Er is daar niets!' riep oma Derrie. 'IK ZAL HET BEWIJ-ZEN!'

Daarna prikte ze met haar wandelstok in de vijver ...

Twee **poten met zwemvliezen** grepen plots het uiteinde van de wandelstok vast. En ze lieten niet meer los!

'DAT MONSTER WIL MIJN WANDELSTOK PIKKEN!' protesteerde oma Derrie. 'STA NIET ZO TE KIJKEN! HELP ME!'

Sally en oma Drek grepen oma Derrie vast, maar zelfs met z'n drietjes waren ze niet opgewassen tegen het wezen uit de vijver. De groene **poten met zwemvliezen** sjorden te hard aan de wandelstok.

'LAAT LOS, OMA!' gilde Sally.

'NOOIT! DIT IS MIJN BESTE WANDELSTOK!' krijste oma Derrie …

ZOEF!

PLONS!

en daarna werd ze halsoverkop de vijver in getrokken.

'NEE!' gilde Sally.

Oma Drek daarentegen leek totaal niet geraakt door de teloorgang van haar beste vijand. 'Jammer,' zei ze. 'Ik had gehoopt dat ik na haar dood die wandelstok kon pikken.'

'Pardon?' vroeg Sally.

'Wat wil je dat ik zeg? Oma Derrie was een gemene oude heks, net als ik. En ik haatte haar bijna even erg als ik jou haat!'

Sally schudde het hoofd en zuchtte. Het duivelse duo had haar leven verpest, maar zo'n ellendig einde wenste ze niemand toe.

'Laten we snel terug naar huis gaan!' blafte oma Drek.

'JA!' stemde Sally in.

'En dan gaan we dat monster een lesje leren!'

'Weet je dat zeker?'

'JA! VOLG ME NU MAAR!'

Oma en kleindochter haastten zich terug naar het land-huis. Ze zagen niet dat er een monster opdook uit de vijver.

Hij was half mens en half vis.

Het wezen had:

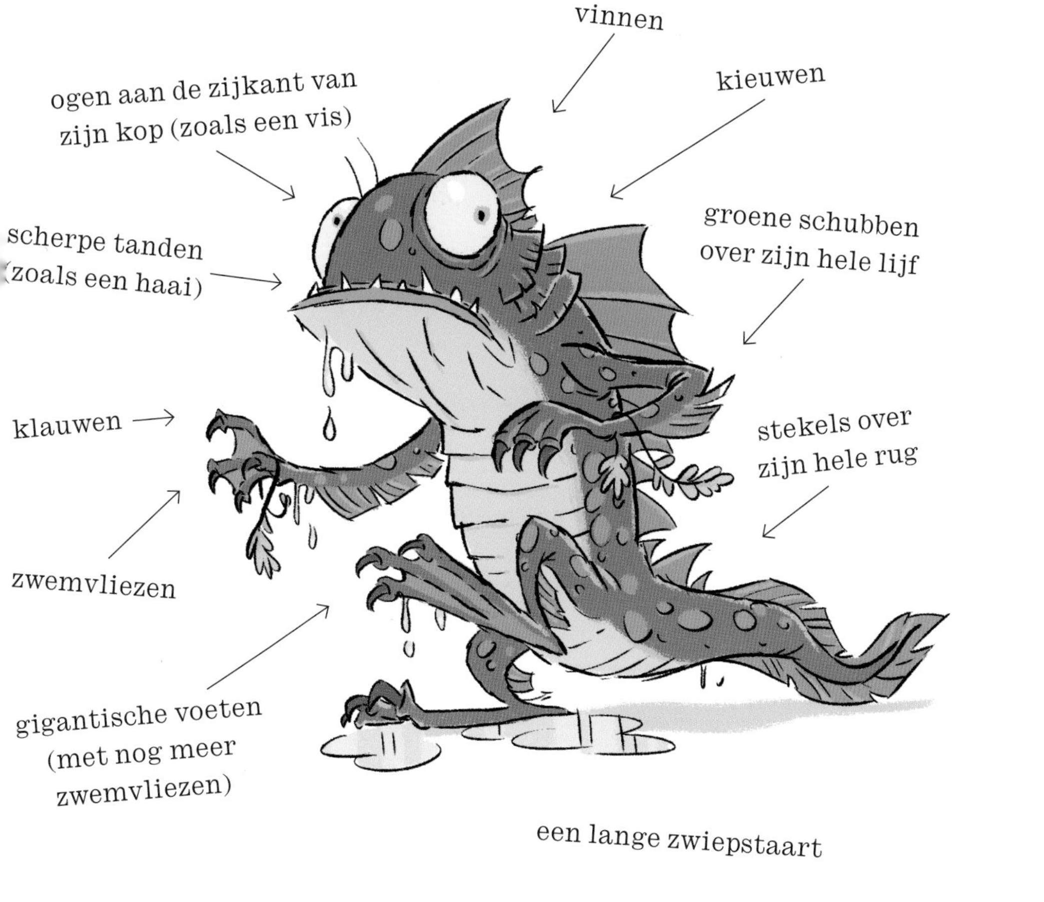

vinnen

kieuwen

ogen aan de zijkant van
zijn kop (zoals een vis)

groene schubben
over zijn hele lijf

scherpe tanden
(zoals een haai)

klauwen →

stekels over
zijn hele rug

zwemvliezen

gigantische voeten
(met nog meer
zwemvliezen)

een lange zwiepstaart

Langzaam maar zeker zwierf het wezen uit het water door de overwoekerde tuin. Het volgde Sally en haar oma helemaal naar het landhuis.

Oma Drek was naar de keuken getrokken. Ze had een plan bedacht om het monster *zelf* ook een **ellendig** einde te bezorgen. 'Ik heb een idee!' mompelde ze. 'Ik laat het wezen in een miljoen stukjes ontploffen!'

'Nee, alsjeblieft niet!'

'O, jawel!'

'Maar we hebben niet eens een bom!'

'Nee, maar we kunnen wel een bom maken!'

'Hoe dan?'

'We mengen alle explosieve dingen in de keuken door elkaar en dan ... *BOEM!*'

'Maar we mogen het wezen geen kwaad doen!' protesteerde Sally.

Buiten *sloop* het monster net langs het raam. Hij kon alles horen.

'Ben je van LOTJE getikt?' snauwde oma Drek. 'NATUURLIJK MOETEN WE HET WEZEN KWAAD DOEN! WE MOETEN HET VERMOORDEN! VERMOORDEN TOTDAT HET DOOD IS! GA NU AAN DE KANT, JIJ *ellendige* MONSTERVRIEND!'

Oma Drek **porde** Sally opzij met haar paraplu en begon aan haar recept. De oude dame vulde een **grote** ketel met:

poederpudding-poeder

rottend ananassap dat vanzelf prik had gekregen

bakpoeder

de inhoud van een eeuwenoud koekblik

chilipoeder

schimmelkoekjes

azijn

stinkkaas

bedorven melk

zure uien

een ooit-gele-maar-inmiddels-zwarte banaan

Oma Drek husselde alle ingrediënten door elkaar tot ze begonnen te borrelen. Daarna goot ze het explosieve goedje in een warmwaterkruik.

pRUTTEL!

Ze draaide zo snel als ze kon de dop erop.

'HAHA!' grinnikte ze. 'Als deze bom ontploft, zal het waterwezen de lucht in vliegen!'

'Alsjeblieft, doe het niet!' smeekte Sally. Ze greep oma Drek bij een arm.

Maar oma Drek mepte het meisje opzij met haar paraplu.

MEP!

'AU!' huilde Sally.

Oma Drek glimlachte en stapte naar buiten, met haar zelfgemaakt warmwaterkruik-bom-ding onder de arm. Het meisje en haar oma merkten allebei niet dat ze achtervolgd werden op weg naar de vijver. Het half-mens-en-half-vis-waterwezen liep slechts een paar passen achter hen door de

oerwoudachtige

tuin …

'KOM TEVOORSCHIJN, MONSTER!' gilde oma Drek vanaf de rand van de vijver. De warmwaterkruik onder haar arm **bolde** steeds verder op. Het zou niet lang meer duren totdat hij ging **ontploffen.** 'IK HEB EEN LEUKE VERRASSING VOOR JE!'

Het waterwezen had zich vlak achter oma Drek *schuilgehouden.* Maar nu tikte hij op haar schouder. De oude vrouw draaide zich langzaam om.

'AAH!' gilde ze.

Ze schrok achteruit en tuimelde de vijver in.

PLONS!

Oma Drek kneep stevig in de warmwaterkruik, al kon je

die inmiddels beter een *kokendwaterkruik* noemen.

'OMA DREK!' gilde Sally. Ze stak haar hand uit om

de oude vrouw te redden. Haar vingers grepen naar het

uiteinde van de paraplu.

'IK TREK JE MEE DE DIEPTE IN!' schreeuwde

oma Drek. Ze sjorde hard aan de paraplu.

Sally liet het ding los en de oude dame ging kopje-onder

in de zwarte **blubbersmurrie.**

PLOP!

'Waterwezen! Kun jij haar redden?' smeekte Sally.

Het wezen ademde diep in door zijn kieuwen en stapte

naar de rand van de vijver.

Maar net toen het wezen een duik wilde nemen, **ontplofte** er iets op de bodem van de vijver.

BOEM!

De explosie was zo gigantisch dat oma Drek en oma Derrie hoog door de lucht vlogen.

ZOEF!

Ze zaten allebei zo onder de **blubber- smurrie** dat ze moeilijk uit elkaar te houden waren.

Het tweetal landde boven in de
grote dode boom aan de rand van
de tuin.

'DIT ZETTEN WE JE BE-
TAALD, SALLY!' gilde een van de
oma's. De oude vrouw zat vast in de
hoogste tak van de boom, bungelend
aan de stof van haar nachthemd.
Ze wapperde met haar armen
alsof het vleugels waren.
Maar het *waren* geen
vleugels, dus daar had ze
helemaal niets aan.

'WACHT MAAR TOT WE BENEDEN KOMEN!'
zei de andere oma. Haar voeten zaten vast in
een tak. Ze hing ondersteboven als een vleermuis. 'WE ZULLEN JE LEVENTJE HELEMAAL
VERPESTEN!'

'DAT DEDEN JULLIE AL!' gilde Sally.

'HELP ONS!'

'ANDERS ZITTEN WE HIER VOOR ALTIJD VAST!'

Sally keek naar het wezen. 'Dat klinkt niet echt als een
slecht idee, toch?'

Het wezen gniffelde.

'Dus ... wat doen we?'

Het wezen wees naar de vijver en maakte **zwem-
bewegingen.**

Sally schudde het hoofd. 'Ik kan niet **zwemmen,** dus een
onderwaterwereld spreekt me niet zo aan. Maar, luister ...
ik werd hier als slaafje gevangengehouden en heb daardoor
nooit kunnen genieten van de normale dingen die normale
kinderen normaal gesproken doen: ijsjes eten, vliegeren,
voetballen in het park ...'

Het wezen knikte en *glimlachte*. Die normale-kinderen-
dingen leken hem ook wel fijn.

Sally en het waterwezen werden de beste vrienden. Ze deden alle normale dingen samen. En veel andere dingen.

Soms keken mensen raar op als ze het wezen zagen, maar Sally negeerde hen. Hadden ze soms nog nooit een half-mens-en-half-vis-waterwezen gezien?

Het tweetal liet de vijver leeglopen en vulde hem met vers water. Niet lang daarna kwam hij weer tot leven. Vissen zwommen rond, kikkers sliepen op waterlelies, kikkervisjes dartelden heen en weer.

Bovendien had het duo nu een heel landhuis voor zichzelf. Ze repareerden alle scheuren, gaten en barsten. De oude bouwval werd langzaam weer een thuis.

Het leukste was misschien nog dat het waterwezen Sally leerde **zwemmen.** Ze namen zelfs deel aan wedstrijdjes **synchroonzwemmen.** De juryleden waren meestal bang voor het wezen, waardoor het tweetal altijd **de hoogste punten** kreeg.

Met het wezen aan haar zijde durfden de oma's niet meer gemeen te zijn tegen Sally. Nou ja ... dat *kon* ook niet, want ze hingen nog altijd te bungelen in de boom. Omdat Sally niet wilde dat ze zouden verhongeren, bracht ze hun vaak smakelijke hapjes en heerlijke drankjes.

Azijn!

Chilipoeder!

Rotte koekjes!

Stinkkaas!

Zoveel zure uien als ze maar lustten!

Inderdaad: allemaal etenswaren die oma Drek en oma Derrie het gevoel gaven dat ze zouden **ontploffen!**

Sally en het wezen uit het water waren gelukkiger dan ooit. Het enige nadeel was dat ze 's nachts vaak uit hun slaap werden gehouden door de keiharde scheten van de oma's. **PFFT!** **PRUT!**

'HAHAHA!' giechelde Sally dan in haar mooie en grote bed.

De legende
van de
WOLFWEER

BUSTER HAD NOOIT om een **penvriend** gevraagd.
Maar zijn moeder wel. Het is een behoorlijk **mysterieus**
verhaal ... maar het begon op een doodnormale kampeer-
vakantie.

'Mijn lieve Buster vindt het heerlijk om brieven te
schrijven!' kirde zijn mama.

'Nee hoor, mama! Helemaal niet!' protesteerde
hij. Het tweetal stond voor hun kleine tent op de camping.
Zijn vader was het onhandige ding net aan het opruimen.
Hij was een eigenaardige man met een eigenaardige snor,
en hij wilde niet dat iemand zich bemoeide met dit belang-
rijke klusje. Naast hen kampeerde een vreemde familie.
Ze hadden geen tent. En ze hadden geen slaapzakken. In
plaats daarvan sliepen ze buiten onder de sterrenhemel.
De familie had alleen een grote, bruine, harige auto die ze
de wolfmobiel noemden.

'Mijn lieve Buster vindt niets leuker dan brieven schrijven. Hij heeft altijd al een **penvriend** gewild. Mogen we alsjeblieft jullie adres? Dan kan Buster elke dag een brief
schrijven naar jullie lieve Wolfje!'

'ELKE DAG?' sputterde Buster.

'Of twee keer per dag, als je dat leuker vindt!
Wat ben je toch een lieve jongen!'

Wolfje was de harigste jongen die je ooit hebt gezien. Logisch, want zijn hele familie was harig. Zijn papa was erg harig. Zijn mama was behoorlijk harig. En zijn zusje was een tikkeltje harig. Waarschijnlijk hadden ze daarom geen tent nodig, want hun harige vacht was warm genoeg.

Hun voeten waren harig. Hun handen waren harig.

Hun nekken waren harig. Zelfs hun gezichten waren harig. En hoewel ze kleren droegen, was alles *daaronder* waarschijnlijk ook heel harig!

En dat niet alleen ...

Want hun oren waren puntig.

Hun neuzen waren **donker.**

Hun ogen waren geel met zwart.

Hun tanden waren scherp.

Hun tongen waren l a n g en **VOL KWIJL.**

En hun handen waren klauwen.

Oftewel: ze zagen eruit als **WEERWOLVEN!**

Op de eerste dag van de vakantie moest Buster met Wolfje spelen. 'Toe nou, mijn lieve Buster!' drong zijn mama aan. 'Kijk hoe eenzaam hij is!'

'Vind je het gek? Hij is raar!'

'Doe niet zo gemeen!'

'Is toch zo? Hij lijkt wel een dier. En zo ruikt hij ook!'

'Hou daarmee op! De andere kinderen negeren hem.'

'Snap ik wel.'

'Maar *zij* zijn gemeen. Ik dacht dat jij lief was?'

'Ik wil niet met hem spelen! En daarmee basta!'

Maar ja ... op een ochtend klopte Wolfje toch op de tent van Buster. Voor zover je op een tent *kunt* kloppen, natuurlijk.

'Hoi! Ik ben Wolfje. Hoe heet jij?'

'Buster,' mompelde de jongen.

'Heb je zin in een spelletje, Buster?'

'Welk spelletje?'

'Mijn lievelingsspelletje!' antwoordde Wolfje. Hij lachte zijn scherpe tanden bloot.

Buster hapte naar adem.

HAP!

Het lievelingsspel van Wolfje was natuurlijk **Wolven-jagertje!** Buster begreep de regels niet helemaal, maar het was duidelijk dat Wolfje de rol van wolf wilde spelen ... want hij **gromde** als een beest.

'GROM!'

Buster gilde en rende zo snel mogelijk terug naar zijn tent.

'AAH!'

Je begrijpt: toen de vakantie was afgelopen, was Buster opgelucht dat hij voorgoed afscheid kon nemen van deze vreemde en harige jongen. Maar helaas voor hem liep het toch weer anders ...

'Misschien kan jullie lieve Buster een keer bij Wolfje komen logeren!' zei Wolfjes mama toen de families elkaar gedag zeiden. 'We hebben een gezellig, klein, afgelegen huis op de hei. De dichtstbijzijnde buren wonen kilometers ver-derop. En er is helemaal niets ... behalve de hei, de mist, de huilende wind, de donder, de bliksem, de ijskoude regen en natuurlijk het zilveren schijnsel van de maan!'

'Ahoe!' huilde Wolfje.

'SST!' suste zijn mama.

Buster trok zijn mama aan de mouw. Hij schudde het hoofd. Zo hard dat het bijna van zijn lichaam wiebelde.

'Och, dat zou mijn lieve Buster geweldig vinden! Misschien kan hij wel een heel weekend blijven?'

'NEE!' protesteerde Buster.

'Ook goed, een hele week dan!' zei zijn mama. Buster was
wéér in haar val getrapt!

Maar zo ging het dus. Adressen werden uitgewisseld en
Buster werd gedwongen om te schrijven naar zijn nieuwe
'vriend'.

De eerste dag na de vakantie vond Buster al een brief van
Wolfje op de deurmat.

Lieve Buster,

Leuk dat we elkaar op vakantie ontmoet hebben!
Ik ben blij dat ik eindelijk een echte vriend heb.
En goed nieuws: ik heb overlegd met mijn papa
en mama ... en ze zouden het erg leuk vinden als
je komt logeren in ons afgelegen huis op de hei.
Vrijdag is het **vollemaan**, dus dat is waarschijnlijk
het beste moment. Laat je iets van je horen?

AHOE!
Wolfje x

Buster schreef meteen een brief terug. Anders mocht hij van zijn mama nooit meer tv-kijken.

Aan: Wolfje
Nee.
Van: Buster

Ondanks dat botte antwoord viel er al snel een nieuwe brief van Wolfje op de deurmat. Dat was niet de reactie die Buster had verwacht.

Lieve Buster,

Ontzettend bedankt voor je leuke brief! Het is altijd fijn om iets van je te horen. Je bent immers mijn beste vriend van de hele wereld! Ik heb je brief wel honderd keer opnieuw gelezen. Steeds weer moest ik terugdenken aan onze leuke vakantie samen. We kijken ernaar uit om je volgende week te ontvangen in ons afgelegen huis op de hei.

AHOE!
Wolfje X

Hij wist niet hoe hij daarop moest antwoorden. En dus schreef hij maar gewoon ...

Buster deed zijn brief-in-hoofdletters op de bus en hoopte dat hij nooit meer iets van Wolfje zou horen. Maar helaas ...

Lieve Buster,

Wow! Ik ben echt dol op je brieven. Zo uitgebreid en zo vol leuke details. Ik weet niet hoe je de tijd vindt om al die lieve woorden te schrijven. We zijn zo blij, lieve vriend, dat je binnenkort naar ons afgelegen huis op de hei komt. Je gaat het hier vast heel leuk vinden. Misschien wil je wel nooit meer weg! Om het je ouders zo makkelijk mogelijk te maken, komen we je vrijdag thuis ophalen met onze **wolfmobiel!**

AHOE!
Wolfje x

Buster raakte in paniek. Hij schreef snel een antwoord en holde naar de brievenbus. De brief zag er zo uit:

NEE! NEE! NEE! NEE! NEE! NEE! NEE! NEE! NEE! NEE! NEE! NEE! NEE!
NEE! NEE! NEE! NEE! NEE! NEE! NEE! NEE! NEE! NEE! NEE!
NEE! NEE! NEE! NEE! NEE! NEE!
NEE! NEE! NEE! NEE! NEE! NEE! NEE! NEE! NEE! NEE!
NEE! NEE! NEE! NEE! NEE! NEE! NEE! NEE! NEE! NEE! NEE! NEE! NEE!
NEE! NEE! NEE! NEE! NEE! NEE! NEE! NEE! NEE! NEE! NEE! NEE! NEE! NEE!
NEE! NEE! NEE! NEE! NEE! NEE! NEE! NEE! NEE! NEE! NEE! NEE! NEE! NEE!
NEE! NEE! NEE! NEE! NEE! NEE! NEE! NEE! NEE!

NEE! NEE! NEE! NEE! NEE! NEE! NEE! NEE! NEE! NEE! NEE! NEE! NEE! NEE!
NEE! NEE! NEE! NEE! NEE! NEE! NEE! NEE! NEE! NEE! NEE! NEE! NEE!
NEE! NEE! NEE! NEE! NEE! NEE! NEE! NEE! NEE! NEE! NEE! NEE! NEE! NEE!
NEE! NEE! NEE! NEE! NEE! NEE! NEE! NEE! NEE! NEE! NEE! NEE! NEE! NEE!
NEE! NEE! NEE! NEE! NEE! NEE! NEE! NEE! NEE! NEE! NEE! NEE! NEE!
NEE! NEE! NEE! NEE! NEE! NEE! NEE! NEE! NEE! NEE! NEE! NEE! NEE! NEE!
NEE! NEE! NEE!

Buster dacht echt dat Wolfje de boodschap
nu wel zou begrijpen. Maar nee!

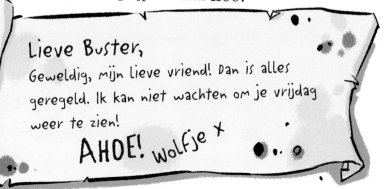

Lieve Buster,
Geweldig, mijn lieve vriend! Dan is alles
geregeld. Ik kan niet wachten om je vrijdag
weer te zien!
AHOE! wolfje x

Toen Buster dat las, zakte de **moed** hem in de schoenen.
Die vrijdag slenterde hij na school zo langzaam mogelijk
naar huis. Toen hij eindelijk zijn straat in liep, stond **de
wolfmobiel** al te wachten voor zijn huis. Buster verstopte
zich achter een hoge heg. Hij twijfelde of hij nog een stap
zou zetten. Tot hij voelde hoe iemand *langzaam* zijn kant
op sloop.

'BOE!'
gilde een stem in zijn oor.

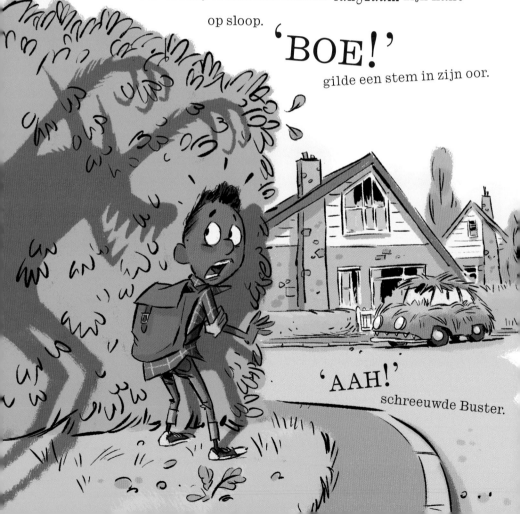

'AAH!'
schreeuwde Buster.

Hij draaide zich om en zag Wolfje.

'Wat doe jij hier?' vroeg Buster.

'Ik zocht jou! Het is tijd om te gaan. Vannacht is het **vollemaan,** weet je nog?'

'Eh ... ik moet eerst met mijn mama overleggen.'

Precies op dat moment deed zijn mama de voordeur open. 'Mijn lieve Buster!' kirde ze. 'Daar ben je! Ik heb je logeerspullen al ingepakt ...'

'MAMA!'

'Geniet van je weekendje weg!' zei ze. Daarna wees ze de jongen naar de achterbank van **de wolfmobiel.**

Buster was sprakeloos. Hij zat vastgeklemd tussen Wolfje en Wolfjes kleine zus. Hun harige vacht kietelde zijn huid, dus hij probeerde zichzelf zo klein mogelijk te maken. Hij kon alleen nog maar angstig over zijn schouder achteromkijken ...

Het was een lange rit naar het afgelegen huis op de hei. De kinderen vielen onderweg in slaap. Toen Buster eindelijk wakker werd, was het al donker geworden. **De wolfmobiel** slalomde zich een weg door een kaal landschap. Door de steeds dikker wordende mist kon Buster alleen een paar dode bomen zien. Uiteindelijk stopte **de wolfmobiel** bij een oud huis boven op een heuvel. De donkergrijze stenen waren nauwelijks zichtbaar in het **gitzwart** van de nacht.

Er kwam een **STORM** aan. De familie haastte zich naar het afgelegen huis op de hei. Buster voelde de ijskoude regen in zijn nek druppelen. Eigenlijk was het meer een hol dan een huis. Er waren geen tafels of stoelen, maar alleen een boel harige tapijten om op te liggen.

'Och, ik ben zo moe!' zei Buster. 'Misschien ga ik wel meteen naar bed!'

'Doe niet zo gek!' antwoordde de mama van Wolfje. 'We moeten toch eerst eten! Schat?'

'Ja, lieveling?' vroeg de papa van Wolfje.

'Wil jij even naar buiten schieten om iets te eten te halen?'

'Er zijn hier toch geen winkels in de buurt?' vroeg Buster.

'Maak je daar maar geen zorgen over, lieve jongen.'

De papa van Wolfje opende de voordeur en stapte de *striemende* regen in.

Buster keek hem na vanuit het raam.

'Waarom gaat hij niet met **de wolfmobiel?**' vroeg hij.

'Die heeft hij niet nodig,' zei de mama van Wolfje. 'Hij is binnen een huil terug. In de tussentijd kunnen jullie fijn spelen!'

Buster kreeg een brok in zijn keel. Maar hij volgde Wolfje de trap op naar de slaapkamer. Plots zag hij door het raam een schaduw voorbijvliegen. Buster keek naar buiten en herkende de papa van Wolfje. Die rende over de hei, met een hert op zijn rug.

'Die krijg je niet zomaar in de supermarkt,' zei Buster.

'Het is bijna etenstijd!' antwoordde Wolfje.

'Maar ... moet dat vlees niet eerst bereid worden?'

'Wat zeg jij nou? Dan raakt het alle smaak kwijt! Nee, dank je. Rauw is het veel lekkerder! Maar eerst: spelen.'

'Welk spelletje dan?'

'**Wolvenjagertje,** natuurlijk!'

'Alweer?'

'Ja, maar nu gaat het spel anders.'

'Hoe dan?'

'Deze keer mag jij de wolf zijn.'

Buster keek hem aan. 'Ik denk dat jij dat beter kunt.'

'Waarom denk je dat?'

'Nou ja … Ik wil niet onbeleefd zijn, maar je bént toch een w…'

'**AHOE!**' huilde Wolfje.

De **storm** was overgewaaid. De wei baadde in het felle schijnsel van een prachtige **vollemaan.**

'**AHOE!**'

Buster hoorde huilgeluiden uit alle hoeken van het afgelegen huis.

'Ik wist het wel!' riep hij uit. 'Jullie zijn allemaal **weerwolven!**'

'**Bijna goed ...**' sputterde Wolfje. Zijn gezicht en zijn lichaam begonnen te veranderen. Zijn botten rekten uit ...

... zijn bloed pompte ...

... en zijn oogbollen draaiden rond.

Buster holde naar de slaapkamerdeur. Hij sjorde zo hard aan de klink dat die met een knal losschoot uit het hout.

Buster kon geen kant meer op. In paniek begon hij op de deur te **BONKEN.**

'HELP! HELP ME TOCH!'

Maar toen Buster zich omdraaide, zag Wolfje er opeens totaal niet meer **wolfachtig** uit. Hij zag er nu uit als een

'Wat ... Wat ben jij?' vroeg Buster verbaasd.

'Een wolfweer.'

'Een wat?'

'Een wolfweer.'

'Daar heb ik nog nooit van gehoord.'

'Bijna niemand. Mijn familie is dan ook de enige wolf-werenfamilie van de wereld.'

'En hoe word je een wolfweer?'

'**Weer** is gewoon een heel oud woord voor mens.'

'Echt? Dat wist ik niet!'

'Een weerwolf is een mens die gebeten is door een wolf. Dus een wolfweer is een wolf die gebeten is door een mens!'

'Maar wie bijt er nu een wolf? Dat klinkt nogal gevaarlijk!'

'Het is inmiddels al honderden jaren geleden, dus niemand weet nog precies wie die man was. Noem het maar een **legende.** Maar wie het ook was, waarschijnlijk had hij echt héél veel honger!'

'Over honger gesproken: ik dacht dat *jij* in *mij* ging bijten!'

'Welnee!' lachte Wolfje. 'Maar begrijp je nu wel waarom ik wilde dat je met **vollemaan** bij ons kwam logeren?'

'Zodat ik je in een jongen kon zien veranderen?'

'Precies! Ik hoopte dat je dan niet meer bang voor mij zou zijn.'

'BANG is een groot woord.'

'Goed dan: DOODSBANG!'

Nu moest Buster ook lachen.

'HAHAHA! Was het echt zo duidelijk?'

'Yep. Maar maak je daar geen zorgen over. Iedereen is bang voor me. Daarom heb ik ook nog nooit eerder een vriend gehad ...'

Buster voelde zich rot. Net als alle andere kinderen had hij Wolfje beoordeeld op hoe hij eruitzag. 'Sorry,' zei Buster.

'Ik hoef geen excuses. Ik heb liever een knuffel!'

Buster glimlachte en liep met uitgestrekte armen op Wolfje toe. De twee jongens omhelsden elkaar.

'Het is fijn om een vriend te hebben!' zei Wolfje. Hij voelde de warmte van Busters aanraking.

'Heel fijn!'

vond Buster.

Precies op dat moment ging de slaapkamerdeur open. De rest van de wolfwerenfamilie verscheen in de deuropening. Iedereen was **van vorm veranderd.**

'We hoorden wat lawaai,' zei de mama van Wolfje.

'Is alles in orde hier?' vroeg de papa van Wolfje.

'Alles is **perfect!**' zei Buster.

Hij keek naar Wolfje en lachte.

Vanaf dat moment waren de twee jongens **beste vrienden.** Toen de zon 's ochtends opkwam, veranderde Wolfje weer in een wolf. Alleen bij **vollemaan** zag hij eruit als een jongen. Maar Buster vond het niet erg om een vriend te hebben die op een wolf leek. Hij vond het zelfs **cool!**

Als iemand Wolfje plaagde, nam Buster het dan ook meteen voor zijn vriend op.

Dat was allemaal al zeventig jaar geleden. Inmiddels zijn Buster en Wolfje allebei opa geworden. Maar ze zijn nog altijd **penvrienden** en ze schrijven elkaar elke week.

Behalve brieven sturen ze elkaar ook vaak foto's. Van hun kleinkinderen én van hun ... **kleinwelpen!**

Het **rare raadsel** van JUFFROUW GORGO

STAAR

MAAR

WAAR

Het rare raadsel van JUFFROUW GORGO

DE DIRECTEUR was veranderd in een **STANDBEELD!**

Arthur ontdekte dat toen hij rondsloop in de kelder van **DE BASKERVILLESCHOOL.** Van schrik liet hij de zaklamp uit zijn handen vallen.

Met bevende handen raapte Arthur het ding weer op. Hij richtte de lichtstraal opnieuw op meester Stof. De geliefde directeur was inderdaad een **STANDBEELD.** Maar Arthur had nog nooit een **STANDBEELD** gezien met opengesperde ogen en een mond die leek te gillen.

Een stille gil, die **niemand** ooit zou horen!

Arthur wilde net zijn vergrootglas pakken om het **STANDBEELD** wat beter te **onderzoeken,** maar toen klonk er een geluid vanuit de duisternis ... en hij besloot te vluchten.

Arthur was de detective van de kostschool. Hij was pas

twaalf jaar oud, maar hij had alle boeken over Sherlock Holmes al honderd keer uit de bibliotheek geleend én al honderd keer gelezen. Net als de beroemde speurneus uit die verhalen droeg Arthur altijd een petje en een mantel. Daardoor (en door zijn bril met ongelofelijk dikke glazen) viel hij nogal uit de toon op DE BASKERVILLESCHOOL.

Sommige pestkoppen noemden hem MENEERTJE BRILLEMANS. Niet heel aardig. Maar Arthur trok zich er niets van aan. Hij vond het zelfs fijn om bijzonder te zijn!

Arthurs schoolspullen zaten in een ouderwetse leren tas. En zijn schoolspullen waren eigenlijk detectivespullen:

Vergrootglas

Notitieboek voor detectives

Verrekijker

Potlood

Spiegel (zodat hij om hoekjes kon kijken)

Handschoenen (om bewijsmateriaal mee aan te raken)

Een nepneus met nepsnor en nepwenkbrauwen (ter vermomming)

Een thermoskan met thee

In de loop der jaren had de jongen al allerlei raadsels van
De Baskervilleschool opgelost. De school was een oud
en gotisch gebouw, met geheimen in elke hoek en nis. Arthur
schreef al zijn zaken op in een notitieboek voor detectives.
Hij hoopte dat zijn avonturen ooit een écht boek zouden
worden, net zoals de boeken over Sherlock Holmes!

Denk bijvoorbeeld aan:

DE ZAAK VAN DE *verdwenen griesmeelpudding*

De kantinejuffrouw had alles opgepeuzeld

☑ OPGELOST

De VLOEK van de gevonden voorwerpen

Waarom hadden alle gymkleren een groene glans? Zweet en schimmel, natuurlijk!

☑ OPGELOST

NABLIJVEN tot je er dood bij neervalt!

Nou ja, niet echt dood.
Maar toen een jongetje
bij het nablijven een
gemene *scheet liet,*
viel er wel een ander
jongetje flauw ...

☑ OPGELOST

Het GEHEIM van de scheikunde-juffrouw

De scheikundejuffrouw
probeerde al jaren om zichzelf
onzichtbaar te maken met
de chemische stofjes in haar
klaslokaal. Ze dacht vast dat
het haar eindelijk was
gelukt. Hoe verklaar
je anders dat iedereen
haar juichend door
het klaslokaal zag
dansen?

☑ OPGELOST

Maar ondanks al die avonturen bleef Arthur dromen van een echte zaak.

En nu, terwijl hij halsoverkop uit de kelder van de school probeerde te vluchten, wist hij dat hij die echte zaak gevonden had. De directeur was immers in steen veranderd!

Hoe was dat gebeurd?

Wie had dat gedaan?

En ... waarom?

Arthur was vastbesloten om de zaak op te lossen.

Het was echter **verboden** om naar de kelder van **DE BASKERVILLESCHOOL** te gaan. Arthur moest het voorlopig dus **geheimhouden** dat hij de directeur daar had gevonden. Eerst moest hij dit **raadsel** oplossen.

Meester Stof was al meer dan een maand vermist.

De dag vóór de mysterieuze verdwijning was Arthur nog op de directeur **gebotst.** Arthur rende de trap van de bibliotheek op, en meester Stof rende de trap van de bibliotheek af.

BOTS!

De boeken over Sherlock Holmes vlogen door de lucht.

STUITER! STUITER!

STUITER!

Meester Stof zei geen woord. Hij stopte niet eens.
De directeur rende gewoon door.

Naar beneden.

Naar beneden.

Naar beneden.

Het leek wel alsof de directeur ergens voor weg-vluchtte. De man was al verdwenen voordat Arthur zijn boeken weer bij elkaar geraapt had.

En dat was de laatste keer dat *iemand* hem had gezien.

Wekenlang speurde Arthur alle hoeken en nissen van de gotische kostschool af naar een spoor van de directeur.

Op school GONSDE het ondertussen van de theorieën.

De directeur had alle snoepjes uit de kantine gesto-len en was toen naar Peru gevlucht om ze allemaal zelf op te peuzelen.

Hij was flauwgevallen door de stank van de gevonden voorwerpen en lag nu bedolven onder een berg MEURTASTISCHE gymkleren.

De scheikundejuffrouw had hem met wat chemische stofjes uit haar klaslokaal laten krimpen tot de grootte van een **mier.**

Arthur zelf had andere theorieën. Hij vond vooral de plaatsvervangende directeur maar verdacht. Zodra meester Stof verdwenen was, nam zij de rol van directeur over. Ze heette juffrouw Gorgo en ze was **zeer mysterieus.** Juffrouw Gorgo droeg altijd en overal een donkere zonnebril. Haar gezicht was besmeurd met een dikke laag make-up. Haar haren zaten verstopt onder een grote vilthoed, die ze diep over haar hoofd trok. Als juffrouw Gorgo door een van de schoolgangen *schreed,* dan vlogen de leerlingen angstig aan de kant.

Toen juffrouw Gorgo een deftige toespraak hield voor de kinderen van zijn klas, was Arthur heel benieuwd wat ze zou zeggen over de verdwijning van meester Stof. Ze beklom het podium van de grote aula vol houten wandpanelen en sprak de kinderen toe.

'Jullie zullen je vast afvragen wat er is gebeurd met meester Stof ...' begon ze. 'Het spijt me jullie te moeten

mededelen dat hij **ziek** is geworden. **Doodziek.** Zo doodziek dat hij ook echt **dood** is!'

De kinderen hapten naar adem.

'HAP!'

'Juffrouw Gorgo?' vroeg Arthur vanaf de achterste rij.
'**Hoe** is meester Stof dan precies gestorven?'

Tientallen ogen *zochten* naar
wie die vraag had gesteld.
Niemand anders was **dapper**
genoeg om juffrouw Gorgo
tegen te spreken. Iedereen
wist nog hoe een schoolgenoot
haar tijdens geschiedenis had
gevraagd waarom ze alleen maar les kregen
over de Griekse mythen ... en hoe dat meisje toen in de hoek
moest gaan staan, op één been, springend, jonglerend met
boeken, het hele schooljaar lang.

'Ach, Arthur ...' zuchtte juffrouw Gorgo. 'Natuurlijk stel
jij die vraag. Je bent echt de **Miss Marple** van de school!'

De kinderen grinnikten om de vergelijking met het oude
vrouwtje uit de boeken van Agatha Christie. **'HIHI!'**

160

Arthur haalde zijn schouders op. Miss Marple was een geniale speurneus. Net als Hercule Poirot, dat andere beroemde personage van Agatha Christie. Hij vond het prima om met hen vergeleken te worden ... al bleef Sherlock Holmes zijn favoriete detective.

'Maar als je het per se wilt weten ...' ging juffrouw Gorgo verder. 'Meester Stof kwam nog-al *plakkerig* aan zijn einde, tijdens een vervelend ongeluk met een berg **papier-maché.'**

De aula werd gevuld met fronsen en fluisteringen.

'Wat?' 'Hoe dan?' 'Volgend jaar geen kunstlessen meer!'

'Hoe kan iemand nu overlijden bij een ongeluk met **papier-maché?'** drong Arthur aan.

'Op een manier die heel veel pijn doet!' kirde juf Gorgo.

Arthur voelde een koude *rilling* over zijn rug lopen. Die opmerking klonk als een bedreiging! Hij besloot even zijn mond te houden.

'Daarmee is de kous af. Het is vanaf dit moment verboden om nog over de zaak te spreken. En nu meester Stof
is overleden, ben *ik* de baas van DE BASKERVILLESCHOOL.
Juich maar voor mij, juffrouw Gorgo, jullie nieuwe directeur!'

De kinderen staarden haar aan. Hun monden vielen
open. Dit voelde als een machtsovername.

'Ik zei: juich!'

'Hoera!' juichten alle kinderen.

Nou ja ... alle kinderen behalve Arthur.

'Ik wil dat alle kinderen, alle meesters, alle juffen en alle
kantinemedewerkers zich na school verzamelen in de aula.
Het is vandaag mijn eerste dag als directeur en ik heb een
grote verrassing voor jullie!'

Arthur kreeg een naar gevoel bij die woorden, maar er
was geen tijd om een nieuwe vraag te stellen. De bel voor de
eerste les ging net.

TRIIING!

Zijn klasgenoten dropen geschokt af naar hun zoveelste
rekenles. Maar Arthur had een ander plan. Hij moest verder
met zijn **onderzoek**. En dus glipte hij weg uit zijn groep en
sloop hij naar de stenen keldertrap. De jongen wilde weten

wat er met meester Stof was gebeurd. Hij besloot op zoek te gaan ... naar **aanwijzingen!**

Gelukkig had hij altijd een paperclip bij zich. Die gebruikte hij om het slot van de grote ijzeren kelderdeur open te peuteren. Achter die deur had hij eerder zijn huiveringwekkende ontdekking gedaan.

De enorme en zware deur ging krakend open ...

KRAAK!

... en de jongen stapte de **duisternis** in.

Met behulp van zijn zaklamp vond Arthur opnieuw het STANDBEELD van meester Stof. Het beeld leunde ietwat achterover en stond precies in een hoek van de kelder. Arthur vermoedde dat meester Stof had geprobeerd om achteruit weg te lopen van wie of wat hem in steen had veranderd.

Hij zocht verder naar aanwijzingen, tot zijn zaklamp opeens iets voor het STANDBEELD oplichtte. Arthur bukte zich en zag dat het een handschoen was.

Een vrouwenhandschoen.

Een paarse handschoen.

Een handschoen die hij al eerder had gezien.

Precies op dat moment hoorde hij voetstappen stappen.

STAP! STAP! STAP!

Arthur knipte meteen zijn zaklamp uit en bleef doodstil in de duisternis staan. Hij durfde amper te ademen, want hij wilde geen enkel geluid maken. Maar de wie-of-wat was nu ook in de kelder en ademde ijskoude lucht uit op zijn gezicht.

BIBBER!

Wat zou Sherlock doen in deze situatie? vroeg Arthur zich af.

Hij wist zeker dat de detective niet zomaar zou weg-rennen. Sherlock zou dapper genoeg zijn om deze vijand te confronteren!

'W... wie is daar?' sputterde hij. Het klonk minder stoer dan hij had gehoopt.

'Jouw ergste nachtmerrie!' siste de gestalte in het donker.

Arthur liep geschrokken achteruit. Hij botste hard tegen het stenen STANDBEELD achter hem.

BOTS!

Zo hard dat zijn bril van zijn neus viel.

KLONK!

Zelfs in het donkerste donker had hij de stem herkend.

Het was juffrouw Gorgo!

'MIJN BRIL!' huilde hij.

'Ik kan dit alleen met het licht aan!' kirde ze.

'Wat kunt u alleen met het licht aan?'

'Dat zul je wel zien.'

'Ik zie helemaal niets.'

Juffrouw Gorgo knipte een schakelaar om. Eén enkel peertje, bedekt met dikke spinnenwebben, begon te flikkeren. De **schaduwen** en *lichtstralen* dansten door de kelder.

Arthur overdreef trouwens niet. Zonder bril kon hij amper iets zien. Maar hij liet zich daar niet door tegenhouden. Sterker nog: het zou zijn redding worden!

Want juist op dat moment zette juffrouw Gorgo haar zonnebril af. En eronder verscheen een paar vuurrode ogen!

Daarna veegde ze met een zijden zakdoek over haar gezicht. Onder de dikke laag make-up kwam een groene huid tevoorschijn!

En tot slot gooide ze haar vilthoed af. Daaronder bleken geen haren te zitten, maar een wriemelend nest van slangen! Het ene kronkelbeest siste nog gemener dan het andere.

De slangen deden niet echt iets. Ze zagen er zelfs wat futloos uit. Misschien moest juffrouw Gorgo wat meer shampoo of conditioner gebruiken, maar dit was niet het moment om daarover in gesprek te gaan.

'Wie ben jij?' gilde Arthur. Want hij *hoorde* de slangen wel, maar hij *zag* alleen een wazige groene schijn voor zijn neus.

'Ik ben niet zomaar juffrouw Gorgo!' riep ze. 'Ik ben een *echte* Gorgo! En ik heet ... Medusa!'

Bij geschiedenis had Arthur geleerd dat Medusa een **ANGSTAANJAGEND** iemand uit de Griekse mythologie was. Als je haar in de ogen keek, zou je in steen veranderen. Voor eeuwig en altijd!

'NEE!' gilde Arthur. Hij zocht op de grond naar zijn bril. Maar toen besefte hij dat zijn bril wel het laatste was wat hij nodig had. Als hij naar Medusa zou kijken, zou hij immers ook een STANDBEELD worden!

'Kijk me aan, Arthur! Staar je **ondergang** in de ogen!' siste ze.

'Ik heb alle boeken over Griekse mythologie gelezen! Ik dacht dat Perseus u had onthoofd?'

'NEE! Ik heb hem onthoofd! Je moet niet alles geloven wat je leest!'

'Wat wilt u?'

'Ik wil alle afschuwelijke kinderen op deze school veranderen in steen!'

'Waarom hebt u dat vanochtend dan niet gedaan?'

'Dat waren alleen de kinderen uit jouw klas, jij domme-rik! Daarom heb ik vandaag na school alle kinderen samengeroepen in de aula. En dan zal ik mijn lot vervullen!'

'Dat lukt u niet!'

'En waarom niet, jij miezerige minidetective?'

'Omdat deze miezerige minidetective op alles is voorbereid!'

Arthur kneep zijn ogen dicht, terwijl hij de spiegel uit zijn ouderwetse leren tas tevoorschijn toverde en naar Medusa's gezicht keerde.

'AAH!' gilde ze ... totdat er een steenkoude stilte viel.

Pas toen Arthur zijn bril teruggevonden had, kon hij zien dat zijn slimme plannetje had gewerkt.

Medusa was in steen veranderd. Ze zou voor eeuwig en altijd een **BOZE BLIK** hebben.

Toen ze via de spiegel van Arthur in haar eigen ogen keek, onderging ze immers hetzelfde lot als meester Stof ... en nu stonden er dus twee stenen STANDBEELDEN in de kelder.

'Ik vraag me af wie nu

de baas van De Baskervilleschool

wordt,'

dacht Arthur

hardop.

Die middag, nadat de bel het einde van de laatste les had aangekondigd, stroomde iedereen naar de aula. Op Arthur na wist immers nog niemand van de **rare raadsels** rond meester Steen en juffrouw Gorgo.

Alle banken van het grote gebouw zaten vol. Iedereen keek om zich heen of mompelde zachtjes. Ze waren hier allemaal samengeroepen door juffrouw Gorgo, maar de nieuwe directeur *zelf* was nog niet komen opdagen.

Toen de grote auladeur openschoof, schoten alle ogen die kant op.

KRAAK!

Een harde zucht ging door de zaal ... toen niet de directeur tevoorschijn kwam, maar een jongetje met een petje en een mantel en een bril met ongelofelijke dikke glazen. Toch liep hij met de zelfverzekerdheid van een echte Sherlock Holmes naar het spreekgedeelte van de aula.

Sommige kinderen gniffelden of mompelden woorden als 'sukkel'. Maar Arthur negeerde hen, zoals een zwijgzame speurneus behoort te doen.

'School!' begon de jongen. 'Ik heb niet-al-te-slecht nieuws. Velen van jullie vragen zich vast af waar juffrouw Gorgo is. Het doet me deugd om jullie mee te delen dat ze ziek is geworden. Doodziek. Zo doodziek dat ze ook echt dood is! Ze kwam nogal pijnlijk aan haar einde, tijdens een vervelend ongeluk met een spiegel! Want, helaas voor haar, zag ze zichzelf daarin!'

Nu klonk er een echte lach door de zaal.

'HAHAHA!'

'Dus voorlopig ben *ik*, Arthur Doyle, de nieuwe directeur van DE BASKERVILLESCHOOL.'

Er klonk wat afkeurend gemompel. Vooral van de meesters en juffen.

'HOE DURFT HIJ?'

'LAAT DIE JONGEN NABLIJVEN!'

'SCHORS HEM MAAR!'

'WACHT!' gilde Arthur. 'Want ik heb meteen wat nieuwe schoolregels. Vanaf nu zijn alle snoepjes in de kantine gratis!'

'HOERA!' juichten de kinderen.

'En vanwege de sneeuw is de veldloop afgeschaft!'

'HOERA!'

'En niet alleen voor dit jaar, maar voor altijd!'

Een nog harder 'HOERA!'

'En tot slot is rekenen vanaf nu verboden!'

'HOERA!'

Dat was het hardste *hoera* ooit.

'In plaats daarvan ga ik jullie mijn nieuwe verhaal voorlezen. Het verhaal heet: *Het rare raadsel van juffrouw Gorgo!*'

De jongen kuchte …

'AHUM!'

… en begon te lezen.

'De directeur was veranderd in een STANDBEELD!'

Het werd stil in de aula. De hele school luisterde naar de geniale minidetective.

FRANKENBEER

FRANKENBEER

LANG GELEDEN in een kasteel hier ver vandaan waren er twee kinderen: Percy en Mary. Ze waren broer en zus. Hij was gemeen, zij was lief. Percy was een van de grootste ettertjes van de wereld en ... O wacht, dat is een ander boek.

Maar het is wel waar. De jongen *lachte* het hardst als hij zijn zusje kon laten *huilen*.

Het kasteel stond boven op een heuvel, vlak bij een **woeste** zee. Bijzonder was vooral dat er binnenin, diep in de kelder, een geheim laboratorium was. In dat laboratorium werkte hun vader: dokter Victor Frankenstein. Als dit een film was, dan zou er nu **DONDER** en *BLIKSEM* voorbijkomen ...

FLITS

BULDER!

Gevolgd door een paar akelige muzieknoten ...

BAM!
BAM!
BAM!

Dokter Frankenstein was een lange, dunne man met een bleke huid en doodse ogen. Hij zag eruit alsof hij al jaren niet had geslapen. Want dat was ook zo.

Dokter Frankenstein was een wetenschapper. Hij had het duistere verlangen om de doden weer tot leven te wekken.

FLITS!

BULDER!

BAM! BAM! BAM!

Andere wetenschappers wilden niets met Frankenstein te maken hebben. Ze vonden zijn experimenten levensgevaarlijk en doodeng. Frankenstein was berucht. Maar die beruchtheid motiveerde hem juist. Dag en nacht ploeterde hij in zijn laboratorium. Hij was een afstandelijke en **harteloze** vader, want hij gaf alleen maar om zijn werk.

Rond middernacht sloop hij soms naar buiten. En bij zonsopkomst sloop hij weer naar binnen. Op zijn schouders droeg hij dan grote zakken waar bloed uit druppelde.

Mary zag de rode vlekken op de trap naar het laboratorium en vroeg zich af wat haar vreemde vader daar toch uitspookte. Helaas was het laboratorium verboden terrein voor haar en haar broer.

Maar op een nacht kon ze haar nieuwsgierigheid
niet bedwingen. Mary trippelde naar de deur van het lab
en keek door het sleutelgat naar binnen. Ze kon haar ogen
niet geloven. Haar vader naaide lichaamsdelen aan elkaar!
Die had hij vast uit het kerkhof gestolen. Met die lichaamsdelen had hij **EEN MONSTER** gemaakt! Het wezen lag op een
tafel in het midden van het laboratorium. Ernaast stond
een indrukwekkende machine vol wijzers en draden.

'Ik word onsterfelijk!' zei Frankenstein tegen zichzelf, terwijl hij druk met naald en draad in de weer was. 'Ik
ga de geschiedenis in. Niet als een mens, maar als een god!

Want zodra de **BLIKSEM** hier inslaat, zal er elektriciteit door het lichaam van mijn monster stromen. En dan zal ik, de grote Victor Frankenstein, het onmogelijke voor elkaar hebben gebokst. Dan zal ik een dode weer tot leven hebben gewekt!'

Na die dag verliet Frankenstein nog maar zelden zijn laboratorium. En *als* hij dat deed, dan was het om de trappen naar de hoogste toren van zijn kasteel te beklimmen. Daar stond hij dan naast een enorme vlieger aan een **METALEN** draad te wachten.

'BLIKSEM, sla in!' riep hij.

Maar de **BLIKSEM** sloeg nooit in.

Zoon Percy had ondertussen alle tijd en ruimte om herrie te schoppen. Zijn vader was immers druk bezig met levensgevaarlijke experimenten en zijn moeder was jaren geleden al uit het kasteel vertrokken. En dus maakte Percy zijn zusje het leven zuur.

Hij ...

verstopte wormen in haar schoenen ...

legde een gigantisch blok ijs aan het voeteneind van haar bed ...

wriemel!

BIBBER!

vertelde griezelverhalen vlak voordat ze naar bed ging ...

'NEE! HOU OP!'

plette motten tussen de bladzijdes van haar favoriete sprookjesboeken ...

PLET!

trok een middeleeuws kostuum aan, plakte een nepbaard op zijn kin, verstopte zich achter een lege lijst, deed alsof hij een schilderij was, en begon plots te gillen als zijn niets-vermoedende zusje langssliep ...

'BOE!'   'AAH!'

stopte spinnen in haar ontbijtpap ...

KRAAK!

vulde haar badkuip met *sidderalen* ...

'GETSIE!'

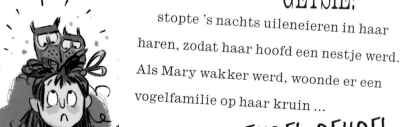

stopte 's nachts uileneieren in haar haren, zodat haar hoofd een nestje werd. Als Mary wakker werd, woonde er een vogelfamilie op haar kruin ...

OEHOE! OEHOE!

bakte een opkikkertaart als ze zich niet zo lekker voelde, maar stopte daar dan wel een levende kikker in ...

En één nacht sloop hij zelfs stiekem haar slaapkamer in, om haar favoriete knuffelbeer te pikken. Daarna haalde hij een schaar uit zijn broekzak en knipte hij het speelgoed in stukken.

Met een grote schop begroef hij vervolgens de lichaams-delen op verschillende plekken in de tuin.

Je bent het vast met me eens als ik zeg dat Percy een monster was. Maar de jongen is niet het enige monster in dit verhaal. O nee. Want als je blijft lezen, dan stap je binnen in de nachtmerrie van **DE MONSTERLIJKE KNUFFELBEER!**

Welnu ... Mary hield van haar knuffelbeer zoals nog nooit iemand van een knuffelbeer had gehouden. Haar leven in het kasteel was erg eenzaam en **Beertje Byron** was haar ENIGE ECHTE vriend. Het maakte niet uit dat hij niet kon bewegen of praten of lachen, want Mary was dol op haar

knuffelige knuffel. In de ochtend legde ze hem veilig weg in haar hemelbed. In de avond kroop ze bij hem onder de dekens en knuffelde ze zich een weg naar dromenland.

Je begrijpt: toen Mary die bewuste ochtend wakker werd, wist ze meteen dat er iets heel erg mis was.

Beertje Byron lag niet naast haar!

Ze zocht overal.

Onder de dekens.   Onder de kussens.

Onder het hemelbed.

Maar ze kon haar knuffelbeer nergens vinden.

'BYRON!' gilde ze.

Haar stem galmde door het kasteel.

En vlak bij de slaapkamerdeur stond Percy te genieten van zijn streek.

'HIHIHI!'

Maar die gemene grijns zou snel van zijn gezicht verdwijnen ... en wel voorgoed! Mary was een pittige meid. Dus ze knalde haar deur open en riep haar broer: 'PERCY! JIJ ELLENDELING! WAAR IS BYRON?'

Ze zag haar broer wegrennen door de lange gang. Maar ze zette de achtervolging in, *sprong* vooruit en knalde hem met een tackle tegen de grond.

Mary was kleiner dan haar broer, maar ze was wel **sterker.** Ze drukte hem met gemak tegen de vloer.

'Laat me los!' jankte de jongen. Hij probeerde zich tevergeefs los te wurmen.

'Pas als je vertelt waar Byron is!'

'Hoe moet ik dat weten?' jokte Percy.

'ZEG OP!'

'NOOIT!'

Mary zag dat Percy's handen onder de modder zaten. Ze greep zijn vuist en bekeek die van dichtbij. Er zat **aarde** onder zijn nagels.

'JE HEBT HEM BEGRAVEN, OF NIET SOMS?' vroeg ze.

'NEE!'

185

Mary hield écht niet van martelen, maar ze had geen andere keuze. En dus draaide ze aan Percy's oren totdat die rood uitsloegen.

'AAAH! JA! JA! IK BEKEN!' huilde hij.

'Hier zul je voor boeten!' waarschuwde Mary. 'Ik zal je laten boeten, al is dat het laatste wat ik doe!'

Daarna stond ze op, stampte de lange gang uit, trok haar laarzen aan en rende naar de tuin. De zon kwam langzaam op, een *woeste wind* waaide vanaf de zee. Op verschillende plekken in de tuin lagen kleine hoopjes aarde. Daar moest Byron wel begraven zijn. Mary zag een grote schop liggen, plukte die van de grond en begon een voor een de stukjes van haar knuffelbeer op te graven.

Overal vond ze lichaamsdelen ...

Byrons lieve hoofd ...

zijn armen ...

zijn benen ...

zijn oren ...

zijn ogen ...

zijn neus ...

en natuurlijk zijn lijfje ...

Zijn vacht zag zwart van de **modder.**

Pas rond de avond had Mary alle stukjes en beetjes van Byron teruggevonden. Ze haastte zich naar haar slaapkamer en probeerde daar om haar knuffel weer aan elkaar te naaien. Maar het meisje had geen idee hoe dat moest. Ze werkte urenlang, met tranen in haar ogen ... maar uiteindelijk zag Byron er nog altijd **MONSTERLIJK** uit.

Armen en benen zaten op de verkeerde plaats.

Zijn hoofd was achterstevoren vastgenaaid.

Eén oog was alsnog verdwenen.

Zijn oren hingen te laag.

En zijn prachtige vacht voelde vochtig, zag zwart en stonk **stinktastisch.**

Byron leek wel een **MONSTER!**

'O, het spijt me zo! Je ziet er nu echt **eng** uit, Beertje Byron!'

En toen kreeg Mary een idee. Een akelig idee. Maar ook een **akelig slim** idee!

'Je zou mijn broer kunnen laten **schrikken!**' zei ze tegen haar knuffelbeer. 'En al helemaal als ik in mijn vaders voetstappen treed en probeer om jou tot leven te wekken. Dat zou pas echt eng zijn!'

Precies op dat moment rammelde er een harde donder bij haar raam.

Er brak een storm uit. Een waarbij ongetwijfeld de **BLIKSEM** zou inslaan. Mary greep haar knuffelbeer en holde naar de kelder. Ze verstopte zich in de schaduw, tot haar vader uit zijn geheime laboratorium tevoorschijn kwam om naar de hoogste toren van zijn kasteel te klimmen.

Op dat moment glipte Mary naar binnen. Ze begon meteen te bibberen, want het laboratorium was angstastisch!* Gif **PRUTTELDE** in gekke flesjes. Aan de muur hing een gigantisch bord met honderden rekensommen. En overal stonden glazen potten met lichaamsdelen erin. Een setje hersenen. Een hand. Oogballen. Een voet. En zelfs twee dikke billen!

* Een echt woord, dat je echt zult vinden in het echte **Walliamsoordenboek**.

Het monster lag nog steeds stil op de tafel.

Mary sloop ernaartoe om een kijkje te nemen. Het wezen had een opgezwollen hoofd, een groene huid, en vastgenaaide handen en voeten. Hij zag er **MONSTERLIJK** uit! Logisch, want hij *was* ook een monster!

Aan de zijkanten van zijn opgezwollen hoofd had het monster twee metalen schijven. Die zaten met *kabeltjes* vast aan de indrukwekkende machine.

'Daarmee zal het monster wel tot leven worden gewekt!' zei het meisje tegen zichzelf.

Ze trok de twee metalen schijven weg en plaatste ze op het hoofd van haar knuffelbeer.

KRAAK!

Eindelijk sloeg de **BLIKSEM** in!

Maar er gebeurde niets …

Mary keek opnieuw naar de indrukwekkende machine en zag dat er een *draadje* loszat.

'Dat moet papa over het hoofd hebben gezien!' fluisterde ze.

Mary klom op de tafel en propte het losse *draadje* weer in de machine.

Het meisje trok net op tijd haar hand terug, want …

KRAAK!

... een enorme **BLIKSEMSTRAAL** sloeg in! Precies in de vlieger, want de *draad* begon te vonken en de schijven gloeiden.

En toen gebeurde het onmogelijke.

Het knuffelmonster Byron knipperde met zijn OOg.

Hij leefde!

De beer kwam overeind en keek naar Mary.

Het meisje trok snel de twee metalen schijven weg en plaatste ze terug op het opgezwollen monsterhoofd. Als haar vader zou ontdekken dat ze in zijn geheime lab was geweest, dan zou hij bozer-dan-boos worden!

Mary graaide haar monsterbeer van de tafel en snelde het laboratorium uit.

Ze hoorde haar vaders voetstappen in de lange gang en verstopte zich opnieuw in de schaduw. Hij rende haar voorbij en **knalde** de deur achter zich dicht.

KNAL!

Buiten raasde de storm verder.

DONDER!

BOEM!

BLIKSEM!

KRAAK!

'Monsterbeer!' zei Mary. Ze zette de knuffel voor zich neer op de grond. 'Ik beveel je om naar de slaapkamer van mijn broer Percy te gaan en hem de stuipen op het lijf te jagen!'

De monsterbeer knikte. Samen liepen ze de trap op naar de slaapkamer. Voor de slaapkamerdeur bleven ze even staan. De monsterbeer was te klein om bij de klink te komen, dus hij keek op naar Mary. Zij glimlachte en zette de deur op een kier.

KRAAK!

Het was midden in de nacht. Ondanks het lawaai van de donder lag de jongen in een diepe slaap. Hij snurkte. Luid.

'zzZ! zzzZ! zzzzZZ!'

De monsterbeer **stapte** naar binnen.

Vanuit de deuropening keek Mary toe hoe haar knuffel op het grote bed klom. Hij sloop over de dekens richting de jongen.

De monsterbeer klom op Percy's hoofd en tilde een van zijn armen op. Daarna gebruikte hij die om de jongen een superharde mep te geven.

MEP!

Percy gilde van de pijn.

'AAH!'

Hij opende zijn ogen en keek de monsterbeer recht in het oog.

'GRR!' gromde de monsterbeer.

'NEE!'

huilde de jongen.

Percy schoot overeind en probeerde het monster van zijn hoofd te trekken.

Maar de monsterbeer had zich stevig vastgegrepen en mepte flink met zijn poten in het rond.

'HAHAHA!' lachte Mary.

Percy zag zijn zusje in de deuropening staan.

'HELP!' smeekte hij.

'NOOIT!' antwoordde ze.

Percy sprong uit zijn bed en holde de trap af. Hij probeerde wanhopig om de monsterbeer van zijn hoofd te krijgen.

'LAAT ME MET RUST!'

Maar het monster was supersterk, dus Percy was kansloos.

Opnieuw sloeg de **BLIKSEM** in.

KRAAK!

'VADER!' gilde Percy. **'HELP ME!'**

De jongen rende verder naar het geheime laboratorium. De monsterbeer prikte hem in de ogen. En Mary holde lachend achter hen aan.

Maar opeens hoorden ze een oorverdovende grom.

'GROM!'

Ze stopten bovenaan de trap naar het geheime laboratorium. Hun vader kwam uit de schaduw tevoorschijn. Een gemene grijns leek wel op zijn gezicht geschilderd.

'Kinderen!' stak hij van wal. 'Ik wil jullie voorstellen aan mijn meesterwerk! Het is jullie geniale vader gelukt om de doden tot leven te wekken! Aanschouw de grootste prestatie in de geschiedenis van de mensheid. HET MONSTER VAN FRANKENSTEIN!'

Er kwam nog iemand uit de schaduw tevoorschijn. Hij ging naast zijn schepper staan en torende ver boven hem uit. De gedaante was **gigantisch.** Het grootste monster van alle grote monsters!

'GROM!'

Percy en Mary bibberden van angst.

'Vader, wat hebt u gedaan?' sputterde Mary.

'Het onmogelijke!' antwoordde hij.

Alleen de monsterbeer leek niet bang te zijn. Hij gleed van Percy's hoofd naar beneden.

'Wat is dat voor een weerzinwekkend wezen?' vroeg vader.

'O ja ...' antwoordde Mary. 'Dat was ik nog vergeten te zeggen ... maar het is mij óók gelukt het onmogelijke te doen. Ik heb mijn knuffelbeer tot leven gewekt!'

'Maar je bent nog maar een kind!'

'Toch was ik eerst, papsie.'

De monsterbeer stapte naar het monster van Franken-stein.

'GROM!' gromde het grote monster naar het kleine monster.

Maar de monsterbeer was totaal niet bang.

'GRR!' gromde het kleine monster.

Het grote monster nam het kleine monster in zijn armen.

'DOE HEM GEEN PIJN!' gilde Mary.

Haar vader maakte zijn gemene grijns nóg gemener.

'*Pijn?* Hij wordt aan stukken gescheurd, jij kleine domme-rik!'

'Ik had het tegen mijn beer!'

'HOE BEDOEL JE?'

'Let maar op!'

Percy knikte.

Helaas voor het grote monster luisterde het kleine monster nu niet naar zijn schepper. In plaats daarvan **beet** hij in de enorme wijsvinger van het enorme wezen. 'AAAAAAAAAAAH! gilde het grote monster.

Hij liet de monsterbeer meteen los. En die monsterbeer schopte toen meteen tegen zijn schenen. **Hard!**

'AI!' gilde het grote monster. Hij klapte bijna dubbel van de pijn, greep naar zijn benen en vluchtte langs de kinderen naar de voordeur van het kasteel. Hij maakte die niet netjes open, maar rende er gewoon door.

KNAL!

De familie Frankenstein en het kleine monster holden naar het deurgat en keken het grote monster na. Het kleine monster toonde een grote glimlach.

Het grote monster vluchtte zo ver mogelijk weg. Tot hij struikelde ...

'OEPS!'

... en halsoverkop de heuvel af rolde. Hij leek wel een gigantische bal!

Hij rolde en rolde ...
en viel ondertussen in stukken uiteen.

Dokter Victor Frankenstein had kennelijk nog minder verstand van naaien dan zijn dochter.

Eerst kwam het opgezwollen hoofd los van het lichaam.

Toen een arm.

Toen een been.

Toen de andere arm.

Toen het andere been.

Alle stukjes rolden verder en plonsden in de woeste zee.

Plons! Plons! Plons! Plons! Plons!

Ze dreven eventjes aan de oppervlakte, maar verdwenen toen onder de golven.

WOESJ!

'NEE!' gilde Frankenstein. 'MIJN LEVENSWERK! ALLEMAAL VOOR NIETS!'

'Oepsie!' grinnikte Mary.

'Hier zul je voor boeten, Mary. Ik verpest je hele leven!'

'Hm ...' mompelde Mary. 'Dat betwijfel ik. Want mijn monsterbeer is nu de baas!'

Ze nam het kleine monster in haar armen.

'GRR!' gromde het naar dokter Frankenstein.

De man was doodsbang. Hij verstopte zich snel achter zijn zoon.

'Doe me geen pijn, alsjeblieft!' smeekte hij.

Maar de knuffelbeer sprong uit haar armen en gaf de man een klap op de billen.

KLAP!

Dokter Frankenstein begon te huilen ...

'SNIK!'

... en zijn dochter begon te lachen.

'HAHAHA!'

Mammie
de
MUMMIE

WAT IS HET VERSCHIL tussen een mammie en een mummie? Soms helemaal niets!

Ingewikkelde grap. Maar straks wordt alles duidelijk.

Laten we dit **GRIEZELVERHAAL** beginnen met een lesje geschiedenis.

Dit is een
mummie ...

een Egyptenaar die heel lang geleden is overleden en als
voorbereiding op het hiernamaals werd gemummi-
ficeerd.

De priesters uit die tijd verwijderden alle ingewanden
(behalve het hart), balsemden het lichaam (om het goed te
kunnen bewaren) en wikkelden het lijk van top tot teen
in linnen doeken.

Die mummies werden duizenden jaren later ontdekt door archeologen, toen ze de verborgen tombes in de woestijn van Egypte onderzochten. Volgens sommige *legenden* zou het verstoren van de begraafplaatsen eeuwenoude vloeken tot leven wekken. En sommige mensen geloven dat een opgegraven mummie zelf tot leven komt! Veel van die archeologen stierven dan ook onder **verdachte** omstandigheden ...

Dit is geen mummie, maar een mammie.

Het is de mammie van Jess. En Jess is een klein meisje met een bril. Ze is dol op haar mammie ... ook al is het de onhandigste mammie van de wereld.

De mammie van Jess was een lieve dame, die graag kleur-rijke jurken en grote hoeden droeg. Dat was maar goed ook, want daardoor zag je haar al van ver aankomen. Tel-kens als ze een ongelukje had, zei mammie: 'OEPSIE!'

En mammie had altijd ongelukjes.

Toen ze tijdens een regenbui het huis binnenging, klapte ze de paraplu per ongeluk dicht met haar hoofd er nog in. Ze zag niets meer.

KLAP!
'OEPSIE!'

Mammie strompelde door het huis. Ze liep eerst per ongeluk de tuin in ... en toen per ongeluk de vijver in.

PLONS!
'OEPSIE!'

Toen mammie ongeduldig zat te wachten tot haar ont-bijt uit het broodrooster zou springen, keek ze per ongeluk even in het apparaat. Het sneetje brood schoot omhoog en knalde tegen haar neus.

KNAL!
'OEPSIE!'

Toen ze in de bibliotheek een boek op de verkeerde plank legde, ontstond er per ongeluk een ketting-reactie. De boeken *tuimelden* een voor een omver. Ze leken wel dominosteentjes. En mammie werd bedolven onder een berg van leesvoer.

BONK! 'O_EPSIE!'

Toen ze een kapotte vaas wilde maken, plakte mammie per ongeluk haar kleurrijke jurk vast aan de tafel.

PLAK!

Ze stond op om weg te lopen, maar haar jurk bleef aan de tafel hangen ...

SCHEUR!

... en mammie stond opeens in haar ondergoed!

'O_EPSIE!'

Toen ze per ongeluk de fles shampoo en de fles ketchup had verwisseld, at mammie een bord frietjes met shampoo ...

'JAKKES!'

... en kleurde haar kapsel opeens

felrood! 'O_EPSIE!'

Toen mammie een doos ontbijtgranen in haar winkelkarretje wilde leggen, viel ze er per ongeluk zelf in.

PLOF!

Daardoor schoot het winkelkarretje door het gangpad ...

ZOEF!

... en knalde het alle andere klanten omver.

BONK! BONK! BONK!

De hele rit lang staken mammies benen
boven het karretje uit.

'OEPSIE!'

Toen er in huis iets **rinkelde,** zag mammie haar stuk chocoladetaart per ongeluk aan voor haar telefoon. Ze propte zomaar het gebak in haar oor.

PLETS! 'O_EPSIE!'

Een jaar later vond mammie nog steeds af en toe een kruimel in haar oor.

Dat was altijd een smakelijke verrassing, al keken de mensen om haar heen er vaak wel vies van op. Toen mammie in de dierentuin over de rand van het pinguïnverblijf leunde, viel ze per ongeluk in hun zwembad. Het lukte de arme dame niet om uit het water te klimmen, dus ze bleef bijna een jaar lang samen met de dieren rondspetteren en rauwe vis eten.

SPETTER! SPETTER! SPETTER! 'O_EPSIE!'

Haar dochter Jess was totaal anders. Zij was een verlegen en serieus meisje, dat op school graag les kreeg over het oude Egypte. Alles daaraan vond ze interessant:

De gouden
dodenmaskers

De sfinx

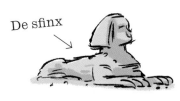

De piramides

De Nijl

De tombes

De Vallei der
Koningen

De uitvinding van de tand-
pasta. En van klokken.
En van kalenders. En van
papier. En van inkt. En
van de politie!

De spannende verhalen
over de koninklijke
families

De ruim 700 hiëroglyfen
(eeuwenoude symbolen
waarmee mensen vroeger
schreven)

Dat iedereen er
make-up droeg

De vrouwelijke farao
Hatsjepsoet (die soms
een nepbaard had)

De meer dan
2000 goden en
godinnen uit
die tijd

Het baden in
zure melk

Het feit dat oude Egyptenaren
geloofden dat katten heilig
waren (en die dieren soms ook
mummificeerden)

Maar bovenaan haar lijstje van interessante dingen stonden natuurlijk de mummies. Ze droomde zelfs van hun vloeken. Jess beeldde zich dan in dat de mummies weer tot leven kwamen en wraak namen op de mensen die hun rustplaats hadden verstoord. Ze was totaal gefascineerd door hen en ze hoopte er ooit eentje in het echt te kunnen zien.

Op de avond voor haar **verjaardag** smeekte Jess dan ook: 'Alsjeblieft, alsjeblieft, alsjeblieft, mammie! Mag ik voor mijn **verjaardag** naar het museum, zodat ik de mummies kan zien?'

'Liefje, alsjeblieft niet, zeg! Die mummies geven mammie de kriebels!' antwoordde mammie. Ze keek op uit haar boek, dat ze ondersteboven vasthad.

'Alsjeblieft?'

'Nee! Ga je niet veel liever naar het circus?'

'De vorige keer dat we naar het circus gingen, raakte jij per ongeluk verstrikt in de touwen van de trapeze, knalde je tegen de zijkant van de tent en stortte het hele ding als een kaartenhuis in elkaar, mammie.'

'Dat was een ongelukje!' kirde mammie. 'Ga je dan liever naar de kermis?'

'Ons laatste bezoekje aan de kermis was een nog grotere

ramp!'

'Ik heb geen flauwer-dan-flauw idee waar je het over hebt, Jessica.'

Jess rolde met haar ogen. 'Ben je echt vergeten wat er in de **botsautootjes** gebeurde?'

Mammie haalde haar schouders op.

'Je ging te snel, **knalde** uit de baan en botste het reuzenrad uit zijn standaard!' ging Jess verder.

'Nou ja ... ik weet zeker dat sommige mensen genoten van hun *ritje* over de kermis.

Ze gilden toch van plezier?'

'Ze gilden omdat ze in een reusachtig reuzenrad over het terrein *rolden!*' zei Jess.

'Ik heb een idee! Laten we naar het **waterpretpark** gaan!'

Jess kon haar oren niet geloven. 'Mammie ... je hebt een levenslang gebiedsverbod voor het **waterpretpark!'**

'O ja?' vroeg mammie. Ze deed haar best om onschuldig te klinken.

'Ja! Want je probeerde om de **glijbaan** op te rennen in plaats van af te glijden!'

'Hoe kon ik nu weten wat de bedoeling was?'

'Een bus vol mensen moest die dag naar het ziekenhuis. En jij zat in die bus!'

'Och, ik had alleen maar alle botten in mijn lichaam gebroken. Als je het mij vraagt, overdreven die dokters gewoon!'

'Grr!' gromde Jess. 'Maar ik ben **jarig** en ik wil naar het museum. Beloof je me dat je probeert om geen ongelukjes te veroorzaken, mammie?'

'Alsof ik *ooit* ongelukjes veroorzaak!'

'MAMMIE!'

'IK BELOOF HET!' antwoordde mammie met een grote en brede glimlach. Een glimlach die Jess niet *echt* geruststelde …

En dus gingen mammie en dochter de volgende dag naar het museum. Het was nog vroeg toen ze op de trein stapten, maar het was mammie al gelukt om …

… per ongeluk op de **verjaardagstaart** van haar dochter te gaan zitten, waardoor die aan haar billen bleef plakken …

PLETS!

'OEPSIE!'

… per ongeluk hun huisdier Woefie in te pakken in cadeaupapier …

'OEPSIE!' 'WOEF!'

... en per ongeluk zo hard **'Lang zal ze leven'** te zingen
dat de ramen barstten!

KRAAK! 'O**E**PSIE!'

Maar ondanks dat alles was Jess ervan overtuigd dat
ze in het museum de beste **verjaardag** van haar leven zou
vieren. Ze had geen idee van de *tornado* van chaos en
vernietiging die haar mammie zou veroorzaken.

Het tweetal arriveerde bij het grote gebouw en mammie
riep meteen dat ze naar het toilet wilde.

'Dat is daar,' zei Jess. Ze wees naar een deur. 'Ik loop
alvast door naar de kamer vol mummies!'

'Natuurlijk, liefje,' antwoordde mammie. Ze holde naar
de toiletten.

Jess stapte de kamer vol mummies binnen en was meteen sprakeloos. De ruimte stond propvol met VERSIERDE
sarcofagen. En in elk van die doodskisten zat een eeuwenoude Egyptische mummie!

Naast de doodskisten stonden de schatten uit hun
graftombes. Mensen in het oude Egypte dachten dat de
doden die spulletjes nodig hadden in het hiernamaals.

Terug naar mammie. Ze had de vreemde gewoonte om al het toiletpapier in huis te gebruiken. Ze trok veel te hard aan de rol, waardoor het hele ding *afrolde*.

En precies datzelfde deed ze in het toilethokje van het museum. Mammie sjorde aan het uiteinde en de **gigantische** toiletrol begon razendsnel *af te rollen.*

ROL!

'O<small>E</small>PSIE!'

Mammie probeerde om het papier weer op te ruimen, maar raakte er daarbij per ongeluk zelf in verstrikt, En hoe meer ze haar best deed, hoe erger het werd. Uiteindelijk zat ze van top tot teen ingepakt in toiletpapier.

VOOR

NA

Mammie leek wel een mummie!

Toen ze met uitgestrekte armen uit haar toilethokje strompelde, begonnen de andere dames in het toilet dan ook te gillen.

'EEN MUMMIE!' 'AAH!'

'HELP!'

Mammie de mummie probeerde iets te zeggen, maar haar stem werd **gesmoord** door het toiletpapier in haar mond. Er klonken alleen maar akelige grommen.

'GRR!'

Mammies ogen waren ook ingepakt, dus ze zag niet waar ze liep. Ze waggelde het museum binnen en hield zich wanhopig vast aan de andere bezoekers om maar niet te struikelen. Die arme donders worstelden zich los uit haar greep en renden voor hun leven.

'NEE!' 'HET LEEFT!'

'DE MUMMIE WIL ONS ALLEMAAL VERMOORDEN!'

Mammie de mummie strompelde door de museumgangen, per ongeluk richting de mummiekamer vol gemummificeerde mummies.*

Maar onderweg **stootte** mammie eerst nog wat marmeren beelden van oude keizers om. Ze kletterden op de grond uiteen.

* Zou dit het record zijn voor de zin waarin het vaakst het woord 'mummie' voorkomt?

KLETTER!

Ook mepte ze met haar uitgestoken armen nog enkele
Romeinse vazen van hun sokkels.

MEP! KRAAK! BOEM!

En ze knalde nog tegen
een beveiliger aan.

KNAL!

De man had lekker liggen dutten in zijn stoel, maar werd
nu ruw gewekt door een levensechte mummie.

'GRR!' gromde mammie de mummie.

'AAH!' gilde de beveiliger. Hij rende huilend weg.

Jess was ondertussen totaal gefascineerd door de eeuwenoude mummiewereld. Ze had niet door dat er een **ingepakt**
iemand de kamer binnenschuifelde.

Alle andere bezoekers waren al weggevlucht, toen Jess een tik op haar schouders voelde. Ze draaide zich om en zag haar mammie. Of beter: haar gemummificeerde mammie de mummie, die in de mummiekamer vol gemummificeerde mummies was binnengemummied.*

'AAH!' gilde het meisje.
'GRR!' gromde mammie de mummie.

'Het is dus waar. Er bestaat echt een vloek!'

Jess zocht naar het dichtstbijzijnde wapen. Ze vond alleen een informatiefolder over het oude Egypte, dus ze rolde die snel op en hield die dreigend voor zich uit.

'Waag het niet om dichterbij te komen, want dan PRIK ik je met deze zeer informatieve informatiefolder!'

Mammie struikelde per ongeluk over het toiletpapier rond haar schoenen, en deed dus tóch een stapje vooruit.

'GRR!'

'Ik heb je gewaarschuwd!' riep Jess. Ze probeerde de mummie te PRIKKEN met de informatiefolder, maar ze vouwde alleen het papier dubbel.

KRAK!

---

* DIT MÓÉT WEL EEN RECORD ZIJN, TOCH? En denk nou niet dat je het kunt overtreffen met 'Mummie mummie mummie mummie mummie mummie mummie mummie', want dat is geen echte zin.

'O …' mompelde het meisje. Maar ze kreeg wel meteen een nieuw idee. Ze greep naar het uiteinde van de **linnen** doek (die eigenlijk dus van toiletpapier was gemaakt) en sjorde er uit alle macht aan. **SJOR!**

'PAK AAN, MUMMIE!' gilde ze.

En mammie de mummie begon wild *rond te draaien* en *af te rollen.*

ZOEF!

Het toiletpapier *rolde af* en mammie de mummie tolde als een tornado door de kamer. Ze botste tegen de sarcofagen van de echte mummies.

BOTS! BOTS! BOTS!

Een voor een vielen de doodskisten kapot op de grond.

KRAAK! KRAAK! KRAAK!

Zelfs de kleine sarcofaag met de gemummificeerde kat
viel in stukken.

KRAAKJE!

De kamer was bezaaid met scherven en brokstukken.
Alle mummies waren dubbel en dwars gewekt uit hun
eeuwige slaap. De gemummificeerde kat begon kwaadaardig
te spinnen.

'MIAUW!'

De rol toiletpapier lag uitgerold op de grond. Mammie was vrij, maar ook een beetje duizelig.

'MAMMIE!' riep Jess. 'Ik dacht dat je een echte mummie was!'

'Nee hoor!' giechelde mammie. 'Ik had gewoon een ongelukje met een rol toiletpapier!'

Jess holde naar haar mammie en gaf haar een stevige knuffel.

'O, dat is een hele opluchting!' zuchtte ze.

Mammie zag iets wat Jess niet kon zien. Namelijk dat de *echte* mummies op de vloer van het museum nu schokkerig tot leven kwamen.

'Eh ... Jessica?'

'Ja?'

'Je moet niet te opgelucht zijn. Want ik vrees dat je mammie een nieuw ongelukje heeft veroorzaakt.

OEPSIE!

Dubbele OEPSIE!

En driedubbeldikke OEPSIE!'

Jess draaide zich om. Ze kon haar ogen niet geloven. Misschien wel tien eeuwenoude mummies kwamen overeind en liepen met uitgestrekte armen hun kant op. Zelfs de gemummificeerde kat kwam hun richting uit.

'MIAUW!'

'OEPSIE!' zei mammie opnieuw.

De mummies probeerden het tweetal te grijpen.

'GRR!' gromden ze.

HET WAS DOODENG!

Onder de **linnen** doeken gloeiden een heleboel **vuurrode** ogen.

GLOEI!

'NEE!' gilde Jess toen een gemummificeerde hand haar schouder greep. 'RAAK ME NIET AAN!'

'Wat moeten we doen?' huilde mammie, die ook al een gemummificeerde hand op haar schouder voelde.

'Ik moet nadenken!' Gelukkig was Jess een pientere meid ... Haar hersenen KRAAKTEN een briljant idee tevoorschijn. Ze schrok zelf van haar eigen slimheid.

'IK HEB HET! Grijp een uiteinde van de rol toiletpapier, en dan grijp ik het andere uiteinde!'

'Leuk!' zei mammie. 'En dan?'

'Dan pakken we ze in!'

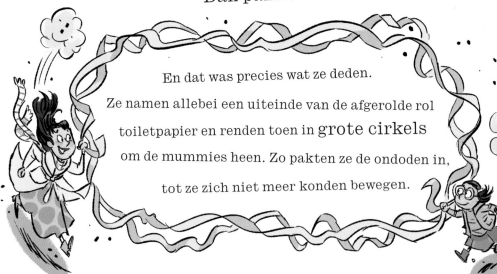

En dat was precies wat ze deden.
Ze namen allebei een uiteinde van de afgerolde rol toiletpapier en renden toen in grote cirkels om de mummies heen. Zo pakten ze de ondoden in, tot ze zich niet meer konden bewegen.

De gemummificeerde kat was natuurlijk slimmer dan de rest, dus die sprong onder het toiletpapier door en verstopte zich achter een omgevallen standbeeld.

De mummies waren nu vastgebonden. Ze konden zich geen millimeter meer bewegen. **'GRR!'**

'Wat ben je toch een slimme-rik!' zei mammie. 'Met je *inge-wikkelde* plannen altijd.'

'Weet ik!' grapte Jess.

Op dat moment kwamen er enkele beveiligers binnen. Zij waren dapperder dan de beveiliger die huilend was weggerend.

'OEPSIE! Tijd om naar huis te gaan!' fluisterde mammie.

Ze greep de hand van haar dochter en sloop het museum uit. Ze stopten niet eens in het winkeltje! En dat terwijl iedereen weet dat het winkeltje de leukste plek in een museum is. Waar zou je anders een veel te dure etui-in-de-vorm-van-een-sarcofaag kopen?

Dus ja: ze wilden echt heel graag naar huis!

Pas toen Jess 's avonds onder de dekens kroop, moest ze opeens ergens aan denken.

'De kat!'

'De *wat?*' vroeg mammie.

'De gemummificeerde kat! In het museum. Die kwam ook tot leven, maar we hebben hem niet ingepakt in toiletpapier.'

'Ik gok dat de beveiligers dat dier wel hebben gevonden.'

'Dat hoop ik dan maar,' antwoordde Jess. Ze fronste een bezorgde frons.

'Jessica, vond je het een leuke **verjaardag?**'

'Het was een heel fijne dag ... behalve toen jij per ongeluk van top tot teen in toiletpapier verstrikt raakte, bijna alle objecten van het museum op de grond stootte en enkele eeuwenoude mummies tot leven wekte, natuurlijk.'

Mammie glimlachte. 'OEPSIE! DE POEPSIE!'

Ze boog voorover om haar dochter een kus op het voorhoofd te geven. Maar ze gleed uit en viel per ongeluk boven op haar.

'AU!' gilde Jess.

'OEPSIE! Sorry, lieverd.'

'Geeft niet, mammie. Ik hou van je! Voor eeuwig en altijd!'

'Ik hou ook van jou! Slaapzacht, mijn lieve engeltje.'

Mammie stond op, struikelde over de pantoffels van Jess en viel per ongeluk precies tegen het lichtknopje aan.

BONK! 'OEPSIE!'

Door de val had mammie het licht al uitgedaan. Ze liep in het donker de kamer uit, maar had niet door dat haar nachtkleed per ongeluk aan de deurpost bleef hangen ...

SCHEUR!

... en kapotscheurde toen ze de deur dichtdeed.

'OEPSIE!' klonk het vanaf de gang. 'Sta ik *alweer* in mijn ondergoed!'

Jess kon haar lach niet langer inhouden.

'HAHAHA!'

Ze was dolgelukkig met de grappigste mammie van de wereld. Jess rolde op haar zij om te gaan slapen. Maar net toen ze haar ogen wilde dichtdoen, hoorde ze iets kloppen op het raam.

KLOP! KLOP! KLOP!

Jess kroop uit haar bed en sloop naar het raam. Ze spiekte door een spleet in de gordijnen en zag iets op de vensterbank zitten.

Het was de gemummificeerde kat uit het museum! Zijn ogen gloeiden vuurrood in het donker.

'OEPSIE!' fluisterde Jess.

Dit was geen nachtmerrie.

Dit gebeurde echt!

'MIAUW!'

De ~~verschrikkelijke~~ vriendelijke SNEEUWMAN

VER

SCHRIK

KELIJK

De ~~verschrikkelijke~~ vriendelijke SNEEUWMAN

HEER DONDERBUS noemde zichzelf graag een ontdekkingsreiziger, een **AVONTURIER** en een jager.

Maar eigenlijk was hij gewoon iemand die graag naar het buitenland ging om daar op dingen te schieten.

Hij zag er zo uit:

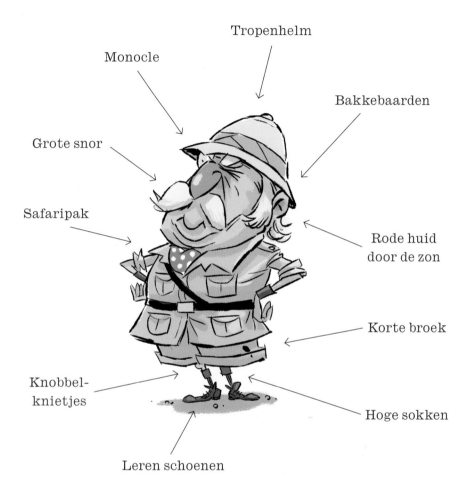

Tropenhelm

Monocle

Bakkebaarden

Grote snor

Safaripak

Rode huid
door de zon

Korte broek

Knobbel-
knietjes

Hoge sokken

Leren schoenen

Zijn verhaal begon in de jaren twintig van de vorige eeuw. Heer Donderbus zat onderuitgezakt ... in de luie stoel, in de werkkamer, in zijn oude herenhuis: **HUIZE DONDERBUS.** Om hem heen stonden honderden opgezette dieren, die hij tijdens zijn reizen had neergeschoten.

Hun lichamen stonden in aanstellerige houdingen tentoongesteld. In alle hoeken en gaten van HUIZE DONDERBUS
vond je:

nijlpaarden   orang-oetans

olifanten   kwallen

krokodillen   leeuwen   en wespen

giraffes   ijsberen   tijgers

gorilla's

Voor dierenvrienden was de werkkamer een ware nacht-merrie, maar heer Donderbus was er **trots** op. De jager vond zichzelf heel erg dapper dat hij al deze beesten had afgeschoten ... ook al had *hij* allerlei wapens en waren *zij* de-genen die op de vlucht sloegen. Ooit had heer Donderbus zelfs een vlieg doodgeschoten. Hij had honderden kogels nodig gehad om het arme insect te raken. Hij had op *alles* gejaagd.

Maar nu waren er geen nieuwe dieren meer over. En dus verveelde hij zich. Hij verveelde zich bijna dood.

'OPPAS!' gilde hij.

Heer Donderbus was meer dan zestig jaar oud, maar werd nog altijd verzorgd door de babysitter uit zijn kindertijd. En dat was niet zijn oma of zo, maar een hulpje dat door zijn ouders werd ingehuurd toen hij letterlijk nog een baby was.

'Ja, edele heer?' antwoordde de oude dame. Ze schuifelde de werkkamer binnen en stak een oortrompet in haar oor.

'Oppas, ik verveel me! Ik heb elk dier ter wereld neerge-schoten. Er is niets meer over om op te knallen!'

'Misschien moet u dan uw geweer opruimen en stoppen met jagen, edele heer,' stelde ze voor.

'NOOIT!' bulderde hij. 'Zeg ... zou je het heel erg vinden als ik eens op jou schoot?'

'Ik zou dat niet heel leuk vinden, edele heer,' zei de dame.

'En je zou me dan geen thee met koekjes meer kunnen brengen!' bedacht hij.

'Precies. Maar ... er zijn natuurlijk wel nog fabeldieren, edele heer.'

'Wat bedoel je daarmee?'

'Wezens waarvan niemand zeker weet of ze echt zijn.'

'Zoals een nijlpaard gemaakt van **KAAS?** Of een schildpad die PIANOSPEELT? Of een kameel die JAPANS spreekt?'

'Nee ... Ik bedoelde wezens zoals eenhoorns, draken, zeemeerminnen, griffioenen en zeemonsters.'

'BRENG ME MIJN GEWEER!' bulderde hij.

'IK ZAL AL DIE BEESTEN NEERSCHIETEN NOG VOOR JIJ ZELFS MAAR THEE KUNT ZETTEN!'

'Sterker, er stond vanochtend nog iets in de krant over een wezen dat de verschrikkelijke sneeuwman wordt genoemd.'

'Dat klinkt verschrikkelijk!'

De oppas rolde met haar ogen. 'Zeker, edele heer! Hij zou zijn opgemerkt tijdens een expeditie naar de Mount Everest.'

'Breng me die krant!'

'Die ligt al naast u, edele heer,' antwoordde de oppas.

En dat was ook zo. De krant lag boven op een stapel andere kranten, op een tafeltje naast de luie stoel. Hij kon eigenlijk niet dichterbij liggen.

'Wees niet zo brutaal, oppas! Breng me die krant!'

De oude dame schuifelde richting heer Donderbus en overhandigde hem de krant.

'LUIE SLOEBER!' gilde hij in haar oor-trompet. 'Ik ben helemaal uitgeput van al dat zitten en al dat theedrinken en koekjes eten! Lees me maar even voor!'

De oppas schraapte haar keel en begon: 'Gisterenochtend werd er, op het hoogste puntje van de Mount Everest, een

gigantisch aapachtig wezen met een witte

vacht en grote scherpe tanden gezien. Het dier wordt de

verschrikkelijke sneeuwman genoemd!'

'Klinkt als een mooie gelegenheid voor een heerlijk potje

neerschieten-en-opzetten. We vertrekken morgen-

vroeg!'

'*We?*' vroeg de oppas. 'Ik ben toch veel te oud voor zo'n

reis?'

'Onzin! Je lijkt geen dag ouder dan 80 jaar!'

'Ik ben 79.'

'Precies. Bovendien heb ik iemand nodig die mijn koffers

draagt!'

De oppas zuchtte. 'ZUCHT!'

Zo ging het al haar hele leven.

De volgende ochtend stond de oppas voor de deur van **Huize Donderbus.** In haar handen droeg ze tientallen kisten, tassen en koffers. Het waren er zo veel dat de oppas *zelf* bijna onzichtbaar was geworden.

'OPPAS! WAAR HANG JE UIT?'

vroeg heer Donderbus.

'Ik ben hier!'

klonk een stem.

'Waar is hier?'

'Onder al uw koffers ...'

'Och, oppas! Dat **schiet** toch niet op. Laat me je helpen!' zei heer Donderbus.

'O, dank u wel, edele heer!' kirde ze.

Hij kwam dichterbij, zag dat ze een paraplu tussen haar tanden geklemd hield, griste die uit haar gebit en **knalde** verder.

'KOM, OPPAS. NIET ZO TREUZELEN!' riep hij over zijn schouder.

Het tweetal reisde met een **trein**,

BOOT

en een *ezel.*

De oppas moest haar ezel dragen, in plaats van andersom. En uiteindelijk kwamen ze op het hoogste puntje van de Mount Everest.

'Prachtig uitzicht!' zei de oppas. Ze keek uit over de glinsterende bergtoppen.

'Lief dat je het zegt!' antwoordde heer Donderbus. Hij speelde met de puntjes van zijn snor. 'Ik zie er inderdaad belachelijk KNAP uit vandaag! Maar ... waar is nu die verschrikkelijke sneeuwman?'

De oppas keek naar beneden en zag grote **VOET-AFDRUKKEN** in de sneeuw.

'Zijn dat sporen van het wezen?' vroeg ze.

Heer Donderbus bukte zich en nam een kijkje. 'Ik ben een genie!' gilde hij. 'Ik heb **SPOREN** van het wezen gevonden. Volg mij!'

De oppas strompelde achter hem aan door de sneeuw.

Ze liepen langs een bord met **PAS OP! LAWINEGEVAAR!** erop. Heer Donderbus deed wat je zou verwachten. Hij schreeuwde de boodschap uit in zijn schreeuwerigste schreeuwstem: '**PAS OP! LAWINEGEVAAR!**'

'Sst!' suste de oppas. 'Zo kun je juist een lawine vooroorzaken.'

'ONZIN!' bulderde hij.

Het spoor van **VOETAFDRUKKEN** was kilometers lang. Het ging helemaal naar de andere kant van de Mount Everest. Daarna was er een plotseling bocht en liep het spoor de berg af, richting een bos in de diepte.

De oppas pakte een telescoop en zag tussen de bomen een gestalte lopen. Het leek een gigantische aap met een dikke witte vacht. Het monster liep op twee poten, had vuurrode ogen, en knarste met tanden waar je **NACHTMERRIES** van zou krijgen. De verschrikkelijke sneeuwman was vast op jacht naar voedsel. Hij vond wat gele sneeuw en propte die in zijn mond.

'BAH!' Het monster spuugde het spul weer uit.

'Zie je onze verschrikkelijke vriend?' vroeg heer Donderbus.

'NEE!' jokte de oppas.

'Mijn telescoop!' bulderde hij, en hij trok het ding uit haar handen. 'DAAR LOOPT HET MONSTER! Snel, breng me mijn geweer!'

'Ik zal het eerst nog even voor u laden, edele heer!'

De oppas rommelde in haar zakken en haalde wat *speciale kogels* tevoorschijn. Ze stopte die langzaam in het geweer.

'Schiet nou op!' schreeuwde hij.

Heer Donderbus greep het wapen en begon te richten.

Daarbij trok hij de oppas uit EVENWICHT. Ze viel halsoverkop op een van de kisten ... en gleed van de berg alsof ze op een slee zat. De berg was steil en glad, dus ze ging al snel heel snel.

ZOEF!

'Opgepast, oppas!' riep heer Donderbus. Hij knalde wat waarschuwingsschoten de lucht in.

KNAL! KNAL! KNAL!

Daarna klonk er gebulder, als donder op de berg.

BOEM!

En vervolgens *tuimelde* er sneeuw en ijs de berg af.

KRAAK!

Heer Donderbus werd erdoor meegesleurd.

'O JEE!'

gilde hij.

De oppas sjeesde voor de *LAWINE* uit. Ze had een kleine voorsprong en kwam daardoor eerder bij het bos dan de stortvloed van sneeuw.

Maar ze zat wel op een kist, dus ze kon niet sturen om te kiezen waar ze heen ging.

De kist botste tegen de verschrikkelijke sneeuwman.

EN HARD!

BOEM!

Het monster werd de lucht in

geslingerd ...

ZOEF!

... en landde boven op de oppas.

BAM!

'AU!' gilde ze.

'AAH!' riep het monster toen hij de oude dame opmerkte.

Ondertussen *tuimelde* heer Donderbus in een gigantische sneeuwbal de berg af.

ZOEF!

'HELP!' gilde hij.

'Wie ben jij?' vroeg de verschrikkelijke sneeuwman.

'Je kunt praten!' riep de oppas uit.

'Ja, natuurlijk kan ik praten!'

'Ik wist niet dat de verschrikkelijke sneeuwman dat kon!'

'Noemen jullie me zo? Verschrikkelijk? Hoe durven jullie? Ik ben juist heel vriendelijk!'

'Ik zag je zojuist wat gele sneeuw eten. Dat is behoorlijk ... verschrikkelijk!'

'Ik dacht dat het **citroensmaak** was, maar had me inderdaad vergist. Sorry hoor, elke dag witte sneeuw is zo saai.'

'Zolang je maar niet de bruine sneeuw probeert!' waarschuwde de oppas.

'Die heb ik gisteren geproefd. Ik dacht dat het sneeuw met **chocoladesmaak** was.'

De oppas trok een vies gezicht.

Inmiddels had de **LAWINE** het bos bereikt.

BULDER!

Maar de sneeuw kwam vast te zitten in de bomen.

De gigantische sneeuwbal van heer Donderbus knalde op een rotsblok.

De bal **brak** open als een vers eitje en heer Donderbus tuimelde eruit. Hij was duizelig en misselijk. Maar hij hield nog altijd zijn geweer vast.

'Wie is dat?' vroeg het monster.

'Dat is mijn baas, heer Donderbus.'

'O, ik heb nog nooit een *heer* ontmoet! Is hij vriendelijk?'

'Nee! Hij is hier om je af te schieten!'

'WAT?' gilde het monster. Er fonkelden tranen in zijn ogen. 'Ik ben toch veel te mooi om te sterven?'

'Als je precies doet wat ik zeg, dan komt het goed. Heer Donderbus jaagt al jaren op allerlei dieren. Maar ik heb de

kogels in zijn geweer altijd vervangen door nepkogels. Ze maken evenveel kabaal als echte exemplaren, maar ze kunnen je geen PIJN doen. Als je een knal hoort, moet je gewoon op de grond vallen en heel stil blijven liggen.'

'Klinkt allemaal behoorlijk ingewikkeld!'

'Wil je blijven *leven?*' vroeg de oppas.

'Liever wel.'

'Dan moet je doen alsof je dood bent!'

Vlak bij hen klonk opeens het geluid van voetstappen in de sneeuw.

'Zet je schrap,' fluisterde de oppas.

De verschrikkelijke sneeuwman kwam overeind. Hij probeerde zo natuurlijk mogelijk tegen een boom te leunen.

'GOEDEMORGEN!' kirde hij.

'NU HEB IK JE, MONSTER!' gilde heer Donderbus. Hij tilde zijn geweer op. Maar nog voordat hij de trekker kon overhalen, begon de verschrikkelijke sneeuwman al te acteren.

'AU! IK BEN GERAAKT!' huilde hij. 'O! AU! O, AU! O, DRIEDUBBELDIKKE AU!'

Daarna volgde een uitgebreid en aanstellerig TONEELSTUKJE van een lange en pijnlijke doodsstrijd.

'ᴀᴀʜ! ᴀᴜ! NEE!'

'Hij heeft de trekker nog niet overgehaald,' fluisterde de oppas.

'ᴏᴇᴘꜱ!'

En toen klonk er een oorverdovende **knal!**

Maar nu deed de verschrikkelijke sneeuwman helemaal niets. Begrijpelijk, want het was een nepkogel.

'ɴᴜ!' gilde de oppas. 'Doe alsof je geraakt bent. En wat minder ᴀᴀɴꜱᴛᴇʟʟᴇʀɪɢ deze keer!'

Het wezen liet zich soepel op de bosgrond vallen.

'Is het monster dood?' vroeg heer Donderbus vanaf een afstandje.

De oppas schuifelde naar de verschrikkelijke sneeuwman. 'Ja!' jokte ze. 'Goed gedaan, heer Donderbus! Heel dapper van u!'

'Het leek wel alsof de kogel hem raakte voordat ik zelfs maar de trekker overhaalde.'

'Dat bewijst wat een goede jager u bent!'

'Ja?' vroeg hij verbaasd.

'JA! U bent echt een held! Laten we deze jachttrofee nu snel naar **Huize Donderbus** brengen, zodat ik hem voor u kan opzetten!'

'Wat bedoel je met "opzetten"?' fluisterde de verschrikkelijke sneeuwman.

'Sst!' suste de oppas.

Het drietal reisde met een ezel, een BOOT en een trein.

De hele tocht lang moest de oppas

de verschrikkelijke sneeuwman

op haar schouders dragen.

De verschrikkelijke sneeuwman

én de ezel ... en die

laatste was heel

zwaar!

De *echte* problemen begonnen toen ze door de voordeur van **HUIZE DONDERBUS** stapten.

Heer Donderbus dacht namelijk dat de dieren in zijn huis waren neergeschoten en opgezet, maar ze bleken allemaal nog te **leven.** Ze hadden gewoon geleerd om doodstil te blijven staan wanneer hij in de buurt was. De rest van de dag speelden ze vrijuit door het huis en de tuin. Als heer Donderbus ergens op jacht was, dan nodigden ze zelfs andere dieren uit voor hapjes en drankjes.

Maar geen van hen had ooit een verschrikkelijke sneeuwman gezien. Dus toen de oppas binnenstapte met het harige wezen op haar schouders, raakten alle dieren **in paniek.**

Ze stormden door het hele huis. Ze stootten allerlei dingen omver. Ze veroorzaakten een **CHAOS!**

'Grom!'

'SIS!' 'WOEF!' 'BRUL!' 'AHOE!'

Het leek wel een dierentuin! Nou ja ... het was een dierentuin.

'AAH!' gilde heer Donderbus. Hij werd omvergelopen door de dieren.

'DE BEESTEN! ZE ZIJN WEER TOT LEVEN GEKOMEN!'

'Wie had dat nu gedacht?' kirde de oppas, waarna een olifant langs haar rende.

'HELP ME, OPPAS! HELP ME!' gilde heer Donderbus toen een tijger zijn poot naar hem uitstak.

'VLUCHT, HEER DONDERBUS!' antwoordde ze. 'REN VOOR UW LEVEN EN VLUCHT!'

'DANK JE WEL, OPPAS!'

En dat deed de man. Hij rende voor zijn leven. Nou ja … *snelwandelde,* want na drie stappen kreeg hij al een krampje.

De oppas besloot om de verschrikkelijke sneeuwman voor te stellen aan de rest. Maar ook om daarbij zijn naam te veranderen. 'DIEREN!' gilde ze. 'RUSTIG MAAR!'

Omdat ze ooit hun leven had gered, stopten alle beesten om naar haar te luisteren.

'Dank jullie wel. Er is geen reden om bang te zijn. Laat me jullie voorstellen aan onze nieuwste vriend. Dit is de verschrikkelijk vriendelijke sneeuwman!'

'Hallo!' kirde het totaal-niet-angstaanjagende wezen.

'HALLO!' riepen alle dieren terug.

'GROEPSKNUFFEL!' zei de oppas. En alle dieren in HUIZE DON-DERBUS kwamen samen voor een knetterende knuffel!

De dagen en weken erna bouwden ze het oude herenhuis om tot een prachtig *dierenpark*. De hoofdattractie was de vriendelijke sneeuwman.

En de verschrikkelijke heer Donderbus? Die **snelwandelde** helemaal terug naar de Mount Everest. Daar verstopte de oude dwaas zich in het bos. En de rest van zijn leven at hij alleen nog maar sneeuw met **citroensmaak** en met *chocolade-smaak.*

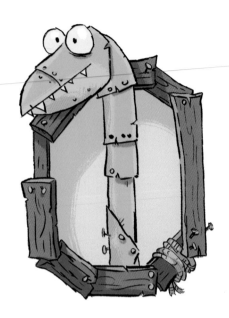

Het echte verhaal
van het
MONSTER VAN
LOCH NESS

BIJNA HONDERD JAAR GELEDEN strompelden er twee ondeugende jongens de bioscoop uit. Ze knipperden met hun ogen door het plotselinge daglicht. En ze waren totaal overrompeld. Het tweetal had net de beste film ooit gezien: *KING KONG.*

Een spannend verhaal over een gigantische **gorilla**. Het dier werd van zijn eiland geplukt, opgesloten in een oceaanboot, en naar New York gebracht om daar tentoongesteld te worden. *KING KONG* wist te ontsnappen, maar kwam tragisch om het leven toen hij van een wolkenkrabber naar beneden donderde.

Dat alles voelde heel ver weg van het rustige leventje dat de jongens zelf hadden aan de mooie oevers van Loch Ness, een van de grootste meren van Schotland.

Donald en Angus waren al hun hele leven vrienden. Ze waren allebei twaalf jaar oud en ze speelden elke dag samen.

Angus had een zusje, Rose, van tien jaar. Rose was doof-geboren, ze kon niet horen en niet praten. Ze was een slimme meid en hield ervan om boeken vol mythes en LEGENDES te verslinden. Haar fantasie was zo groot dat ze ook zelf prachtige verhalen bedacht.

Sinds ze de film hadden gezien, draaiden alle spelletjes van Angus en Donald om KING KONG.

Donald speelde dat hij de gigantische gorilla was en beklom de wolkenkrabber (of beter: de ruïnes van een kasteel in de buurt van het meer).

En Angus speelde dat hij de gevechtspiloot was die KING KONG naar beneden schoot.

Beste. Spel. Ooit.

Soms keek Rose vanaf een afstandje toe en dan glimlachte ze om de twee *ondeugende* jongens.

Maar op een avond, toen het tweetal langs het meer
terug naar huis liep, leek Donald een beetje verdrietig.

'Wat is er?' vroeg Angus.

Donald was de langste van de twee.

Angus was kleiner, liep op wiebelknieën en had een grote
bos vuurrood haar.

'Och, laat maar.'

'Laat wat maar?'

'Waarom wonen wij niet in New York, waar ze monsters
hebben zo groot als wolkenkrabbers?'

Angus moest lachen. 'HAHA! Jij mallerd! Je weet toch

dat die **KING KONG**-gast niet echt is, hè?'

Donald deed alsof hij schrok. 'Dat meen je niet?' Maar daarna glimlachte hij weer. 'Natuurlijk weet ik dat **KING KONG** niet bestaat. Ik ben niet helemaal glaikit ... maar

gek

zou het niet gaaf zijn als we hier in Loch Ness ook een eigen monster hadden?'

'Ach, hier gebeurt toch nooit iets?' antwoordde Angus.

Hij raapte een steen van de grond en keilde die over het water. PLETS! PLETS! PLETS!

Ze keken toe hoe de steen over het meer stuiterde ... en daarna met een **PLOP!** naar de bodem z o n k .

De zon ging langzaam onder.

Loch Ness baadde in een vuurrode gloed.

'Wat voor monster zou het kunnen zijn?' mijmerde Donald. 'Geen gigantische **gorilla.** Die hebben ze in New York al.'

'Misschien een vis?'

bang

'Nee, wie is er nu feart voor een vis?'

'Haaien zijn toch eng?'

klets

'Angus, blether niet zo! In Loch Ness leven geen moordzuchtige haaien. Dat gelooft niemand!'

Er viel een stilte.

De jongens waren in gedachten *verzonken*.

'Ik heb het!' riep Angus. '**Een dinosaurus!**'

'Een zwemmende dinosaurus!' ging Donald verder.

root

'Zo'n enorm muckle onderwater-dinosaurus-monster!'

'**Het monster van Loch Ness!**' gilden ze tegelijkertijd.

In de dagen en weken en maanden daarna bedachten de jongens een **plan.** Als ze iedereen op de wereld konden wijsmaken dat er in Loch Ness een monster woonde, dan zouden ze RIJK worden!

Soms, als ze in de buurt van het huis rondsloop, kon Rose de jongens bespioneren. Omdat ze niet kon horen, wist ze niet zeker wat ze uitspookten. Maar ze kende haar broer en zijn vriend goed genoeg om te weten dat het zonder twijfel kattenkwaad was.

Sterker nog, het bleek het ergste kattenkwaad te zijn dat de wereld ooit had gezien: **MONSTERKWAAD!**

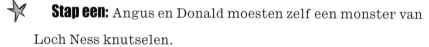 **Stap een:** Angus en Donald moesten zelf een monster van Loch Ness knutselen.

Stap twee: Ze moesten nepfoto's van het monster van Loch Ness hebben.

Stap drie: Die foto's moesten in alle kranten van de wereld worden afgedrukt.

Stap vier: Duizenden toeristen zouden naar Loch Ness komen om een glimp van het monster op te vangen.

Stap vijf: En wie zou dan hun reisgids zijn? Inderdaad: de twee jongens-uit-de-buurt die het monster als eersten hadden gezien!

'En dat is nog niet alles!' zei Donald. 'Denk eens aan alle prullaria die we kunnen verpatsen!'

'Monsterachtig speelgoed!' riep Angus uit.

'Monsterachtige handdoeken!'

'Monsterachtige tammies!' ← wollen mutsen

'Monsterachtige tekenspullen!'

'ALLEMAAL IN HET TEKEN VAN HET MONSTER VAN LOCH NESS!'

In het grootste geheim, omdat zelfs Rose van niets mocht weten, zetten de twee jongens hun **MONSTERPLAN** in werking ...

Angus pikte een dik boek over dino's uit de slaapkamer van zijn zusje. Rose bladerde er graag door om **inspiratie** op te doen voor haar verhalen. Maar ze had *zo veel* boeken dat het heus niet opviel als er eentje van haar plank verdween.

Op zijn eigen slaapkamer staarden Angus en Donald naar een plaatje van een *plesiosaurus.*

'Zo moet ons monster er ook uitzien!' riep Donald.

'HEBBES!' zei Angus.

Het leek nogal een uitdaging om een levensgrote dinosaurus te bouwen, maar toen bedachten de jongens zich iets. Het lichaam van het bakbeest zou grotendeels onder water blijven, dus ze hoefden eigenlijk alleen een kop en een nek en een stukje van de rug te maken. Die lichaamsdelen konden ze makkelijk bouwen door wat houten planken uit de schuur aan elkaar te timmeren.

Rose kon natuurlijk niets horen van het GETIMMER, anders was ze vast stiekem een kijkje gaan nemen.

Achter de gesloten deuren van het schuurtje verfden de jongens hun wezen groen. En daarna voegden ze twee ogen en wat scherpe tanden toe.

Nek

Kop

Plank tussen de
rug en de nek

Ogen

Rug

Mond

Dit was zonder twijfel het ergste monster van de wereld. Hij was niet eens echt! Maar de jongens wisten zeker dat ze iedereen voor de gek konden houden.

Een van hen moest met dit gevaarte het meer in zwemmen, zodat de ander foto's kon maken. Het water was ijskoud, dus geen van beiden wilde graag het zwemgedeelte op zich nemen. Maar de papa van Angus had een camera, dus de jongen stond erop dat hij dat toestel moest bedienen ...

En daarom was Donald de pechvogel die bij zonsopgang, voordat de rest van de wereld wakker werd, het water in moest.

In het midden van een meer.

In het midden van Schotland.

In het midden van de winter.

En ondertussen stond Angus te grijnzen aan de oever.
Hij frummelde aan de camera, want ook hij wist
natuurlijk niet hoe die werkte.

Maar hij drukte op het goede knopje …

> KLIK!

En ze hadden hun foto!

Ze lieten het plaatje snel ontwikkelen in een donkere
kamer. De foto was korrelig en onscherp, maar dat was juist
extra raadselachtig. De inkt op de foto was nog nat,
maar de jongens renden al naar het kantoor van de lokale
krant.

'STOP DE PERSEN!' riep Angus. Dat had hij weleens in
een film gehoord en het klonk lekker dramatisch.

De baas van *Het Laatste Nieuws uit de oevers rondom Loch Ness* was een kleine en oude dame. Ze werd wakker uit haar middagdutje.

'Wat is er aan de hand?' sputterde ze.

'ER Z... ZIT EEN M... MONSTER IN HET M... MEER!' gilde Donald. Zijn stem bibberde nog altijd van het ijskoude water.

De dame pakte haar bril en bestudeerde de korrelige zwart-witfoto.

'JEETJEMINA!' riep ze uit. 'Hiermee verkopen we misschien wel twee keer zoveel kranten als normaal!'

'Hoeveel kranten verkoopt u dan normaal?' vroeg Angus.

'Eentje. Aan mijn man. Maar dit is groot nieuws. Dus ik moet er twee laten drukken!'

Maar het nieuws werd nog veel groter en groter.

Eerst stond het op de voorpagina van *Het Laatste Nieuws uit de oevers rondom Loch Ness.* Daarna van *De Schotsman,* toen *De Londenaar* en niet veel later elke krant in de wereld.

In de buurt van Loch Ness ontploften de mensen bijna van opwinding. Vooral Rose.

Met gebarentaal vroeg ze aan haar broer: *Kun je mij het monster laten zien?*

Nee! gebaarde hij terug.

Waarom niet?

Daarom. Je bent nog maar een **bairn!** ← kind

Maar ik wil het zien. Ik wil niets liever.

Nee! En nu **wheesht!**

stil

Rose was diep teleurgesteld. Haar grote broer was degene die het monster van Loch Ness op de foto had gezet, en toch wilde hij haar **niet** laten zien waar het wezen woonde.

Verdrietig trok ze zich terug op haar kamer, waar ze ontdekte dat een van haar dinoboeken van de plank was verdwenen. Ze speurde het hele huis af en vond het boek onder het bed van Angus. Rose bladerde en zag dat de pagina over de *plesiosaurus* een ezelsoor had. Haar **hart** brak in tweeën. Ze had zo'n levendige fantasie en ze wilde niets liever dan dat dit monster echt bestond ... maar was het dan toch gewoon **nep**?

Hoe dan ook: duizenden mensen van over de hele wereld stroomden naar de oevers van Loch Ness. Ze verdrongen elkaar om een glimp van het monster op te vangen. En wie voorzag hen ondertussen van hapjes en drankjes en souvenirs?

Inderdaad: Angus en Donald.

Ze noemden het monster van Loch Ness voortaan Nessie, en zo werd een LEGENDE geboren.

Na verloop van tijd gingen veel mensen twijfelen of het monster wel echt bestond. Het dier werd niet meer gespot. En het oppervlak van het meer bleef stil en kalm. Er was soms zelfs geen rimpeling te zien.

Maar dat kon Angus en Donald niets schelen. Zij hadden inmiddels al een fortuin verdiend aan de monstertoeristen!

Tot Rose besloot om haar broer te confronteren.

Hebben jij en Donald alles verzonnen?

Nee! jokte hij in gebarentaal.

Dus er is echt een monster?

Ja!

Je hebt het met eigen ogen gezien?

Ja!

Eerlijk? Het is echt geen **havering?** ← *gezwets*

Beloofd!

Maar Rose twijfelde en besloot zelf de waarheid te ontdekken. Ze ontpopte zich tot de meest fanatieke monsterspotter aller tijden.

De nacht viel, de lucht was **kouder** dan sneeuw, de toeristen trokken terug naar hun hotels ... maar Rose bleef kijken en wachten ...

Op een nacht zag Angus zijn zusje zitten, in de kou en

in haar eentje, en hij voelde zich enorm schuldig. Als hij
niet tegen haar had gelogen, zat ze nu lekker warm thuis.

Toen hij zijn Nessie-koffer vol speelgoed, spelletjes en
grappige onderbroeken had ingepakt, stapte hij
dan ook naar zijn zusje toe.

ijskoud

Kom, gebaarde hij. *Het is hier nu veel te baltic.*
We moeten weg.

Zeg maar tegen papa en mama dat ik op tijd thuis ben voor
de thee! gebaarde ze terug.

Maar ik ben je grote broer. Ik moet toch op jou passen?

Ik red me wel, Angus. Ik ben oud genoeg om op mezelf te passen.
Ga nu maar en dan kom ik straks wel naar huis.

Angus voelde zich rot. Hij kreeg er buikpijn van. Maar
hij had Donald beloofd om nooit te verklappen dat alles
maar verzonnen was.

Blijf niet te lang, gebaarde hij nog. *Straks vat je kou.*

Die avond hing er iets *magisch* in de lucht. De hemel was
bezaaid met sterren.

Ondanks alles was Rose altijd blijven geloven.

En als je blijft
geloven, dan komen heel soms dromen uit. ✦ ✦

Want diezelfde avond kwam er een beest uit het meer tevoorschijn. Niet het suffe knutselwerk van Angus en Donald, maar het echte monster van Loch Ness!

En dat was helemaal geen *plesiosaurus.*

Het was een draak. Een echt *mythisch* wezen.

Prachtig en angstaanjagend tegelijk.

Rose bevroor van angst toen ze het beest zag, zo dicht bij de oever. En zeker toen het zijn ogen op haar richtte. Rose voelde zijn koude adem over haar gezicht gaan.

BRR!

Het wezen staarde naar Rose met zijn grote donkere ogen. Rose kon natuurlijk niet gillen. Maar zelfs als ze dat wél had gekund, dan zou niemand haar horen. Ze was hier helemaal alleen.

Plots kroop er een glimlach over de snoet van het monster. Heel even dacht Rose dat het een **gemene grijns** was. Zo een van een krokodil, vlak voordat hij zijn prooi opeet.

Maar toen zag ze iets fonkelen in die grote monsterogen.

Iets warms.

Iets zachts.

Iets lief.

Iets wat leek

op liefde.

Het monster bukte en liet zijn kop zakken, totdat die bij haar voeten op de grond lang. Het leek een **uitnodiging**. Rose klom erop, voelde zich de hoogte in gaan ... en draaide zich om om langs zijn nek naar beneden te *glijden*.

ZOEF!

Ze landde met haar billen op zijn rug.

BOEM!

Rose sloeg haar armen om zijn nek. En daarna zoefden ze samen weg.

ZOEF!

Het monster gaf het meisje een rondvaart over het meer.
Een rondvaart met een rotvaart!

Rose moest zich stevig vasthouden om niet van zijn nek te vallen.

Maar ze was totaal niet bang.

Dit was het **spannendste** moment van haar hele leven!

Ze hoopte dat dit moment voor altijd zou duren. Voor altijd en eeuwig. Misschien zat ze secondes op zijn nek. Misschien minuten. Misschien uren. Ze had geen idee. Tijd was niet belangrijk. Niets was nog belangrijk. Alleen dit moment. Nog nooit was het leven zo mooi geweest.

Het monster zoefde door het water, maar het voelde alsof ze zweefden. Ze landden precies waar ze vertrokken waren, net voordat Rose niets meer kon zien door haar tranen van geluk.

Het monster boog opnieuw zijn kop. Deze keer *gleed* Rose van zijn nek naar zijn kop.

ZOEF!

Ze landde perfect op twee voeten, alsof ze een turnoefening had gedaan.

BAF!

Het monster glimlachte en Rose glimlachte terug. Net toen het monster zich omdraaide om weer te verdwijnen, strekte ze haar armen uit en gaf ze hem een knuffel. Ze hield hem zo lang

mogelijk vast. Tot er in de verte opeens het gerommel van

een auto klonk.

VROEM!

Het monster wilde niet ontdekt worden. En dus verdween

hij onder het water. Net zo plotseling als hij er eerder uit

was opgedoken.

Rose huppelde naar huis. Precies op tijd voor de thee.

Later, in haar slaapkamer, droomde ze over het monster.

Die avond *en* elke andere avond, voor de rest van haar

leven.

Ze vertelde niemand over het monster.

En nu is die kleine meid een oude dame.

Wel honderd jaar oud!

Maar 's nachts staat ze nog altijd aan de oever van Loch

Ness. Heel soms verschijnt haar vriend vanonder het opper-

vlak. Het monster buigt dan voorzichtig zijn kop voor een

ritje over het meer. Elke keer opnieuw is Rose bang dat het

de laatste rondvaart is, maar er is altijd nog een volgende

keer. En dan nog een.

Dus … als je ooit een oude dame met grijze haren aan de oever van een meer ziet staan, dan kan het zomaar zijn dat er een gigantisch monster in de buurt is.

Maar alleen als je erin gelooft.

UITGANG
(ALS JE DURFT ...)

EINDE

MAAR VANUIT DE DIEPSTE DIEPTEN VAN DE OCEAAN
SCHREEF DE ANGSTAANJAGENDE KRAKE.
EEN **BOZE** BRIEF
NAAR DE SCHRIJVER ...